技術が
世界を変える

# 目指せ！科学者1

【特別監修】

東京応化科学技術振興財団理事長

## 藤嶋 昭

【編集委員長】岩科季治

# はじめに

　東京応化科学技術振興財団では、理科や科学が大好きな青少年を育成するため、理科実験教室などの開催活動をしている全国のボランティアの方々に、「科学教育の普及・啓発助成」を17年以上にわたり実施してまいりました。近年ではさらに、特に優れた活動をしている団体を表彰することとして、「優秀活動賞」や「活動奨励賞」を設けて、活動を応援しております。

　本助成を受けられたボランティア団体の皆様が今まで行ってこられた素晴らしい活動成果を広く知っていただき、役立てていただくために、以下の書物を発行してきました。「ヤングサイエンス選書①〜⑧」および「開け！科学の扉①〜⑧」の16冊。さらに最近では認定NPO法人かわさき市民アカデミーの行っている科学に関する素晴らしい講座内容を、中高生にも易しく説明を加えて紹介する「新しい科学の世界へ①〜⑤」の5冊の発刊支援を行ってまいりました。いずれの本も各界の方々より高い評価をいただいております。

公益財団法人
東京応化科学技術振興財団理事長

# 藤嶋 昭

　この度さらに、優れた研究者の姿に触れて、具体的な科学者のイメージを持って歩まれることが青少年にとって大切であると考えて、その機会になればと、当財団の「向井賞」を受賞された研究者の業績紹介などや表彰団体の活動紹介の発刊支援を行いたいと進めてまいりました。幸いなことに、従前より当財団の「科学教育の普及・啓発助成」活動に、ご理解をいただくとともに、自らも青少年の育成に力を注いでいる株式会社北野書店より「目指せ！科学者（新シリーズ）」の刊行に賛意をいただけたので、財団として本シリーズ発刊を積極的に支援することとしました。

　この本が、ひとりでも多くの若い皆さんの、科学者を目指すきっかけになることを願うとともに、さらに理科や科学啓蒙のためのボランティア活動をされている方々の支えになればと思っております。

# 物華天宝…
# 研究とは、まだわかっていない
# 真理を見つける宝さがし

東京応化科学技術振興財団理事長
東京理科大学栄誉教授

## 藤嶋 昭

## 世界初の発見「光触媒」

　1967年、私は光触媒の元となる本多・藤嶋効果を世界で初めて発見しました。酸化チタンを電極にして水中に入れ、光を当てると、水が分解されて酸素が発生するという現象です。

　その頃は、現在の電気製品にはなくてはならない半導体の開発研究が進められており、米国やドイツの研究者はシリコンやゲルマニウムを水の中に入れて光を照射する実験を盛んにしていました。しかし、そのときゲルマニウムが溶けてしまうという論文を読んだ私は、その追試をすることにしました。シリコンやゲルマニウムから始めて、溶けないものはないかと探索しました。あるとき先輩から「酸化チタンは試してみたか」と聞

**インタビュー動画**

▶藤嶋昭先生インタビュー
http://kitanobook.co.jp/extra/extra13-1.html

タブレットかスマートフォンで左の二次元バーコードを読み込んでください。

かれました。いろいろな論文を読んでみたところ、酸化チタンを試してみた研究者はまだいないことに気づきました。

早速、実験です。苦労して手に入れた酸化チタンをダイヤモンドカッターで小さく切り、それを電極にして水中に入れ光を当ててみました。するとそこからブクブクと泡が出てきたのです。しかも酸化チタンは溶融していません。ということは、水が分解されているのに違いありません。実際、分析してみると、出てきたガスは酸素でした。水が分解されて酸素を出すという現象は電気分解として知られています。ただ、電気分解の場合、1.23ボルト以上の電圧をかけるという理論値があります。ところが私の実験ではマイナス0.5ボルトで水が分解され

たのです。

植物の葉に太陽光が当たると水が自然分解されて酸素が出ます。光合成です。私の実験で起きた現象は、いわば人工光合成でした。酸化チタンが葉緑素と同じような働きをしたのです。私は論文を執筆し、イギリスの科学雑誌『ネイチャー』に投稿しました。すると『ネイチャー』編集部はほとんど即日といっていいほどの早さで論文掲載を認めてくれました。1972年のことです。光触媒を使えば水から水素も取り出せます。日本の新聞にも大きく取り上げられ、「水素がエネルギーとして使える。これでもう石油が枯渇することを心配しなくてもいい」と言う人もいたほどです。

光触媒の実験をする藤嶋昭先生（写真：東京理科大学）

# 最高の感動を体験できる素晴らしさ

光触媒の現象をもとに、現在日本だけでなく世界中でさまざまな研究が進められています。住宅の外装材、トイレやキッチンのタイル、空気清浄機の中、曇らない自動車のサイドミラーなど、光触媒は多岐にわたる産業分野で応用されています。

私が発見した現象は世界初の発見でした。酸化チタンからブクブクと泡が出てきた、そしてそれは酸素だ、と発見した瞬間は忘れられません。「光合成の複雑な反応を人工的に再現できた」と確信したときは、興奮のあまり、夜も眠れなかったくらいでした。今まで誰も発見したことがないものを発見し、その感動を味わうことができるのが、研究者にとって最大の喜びではないでしょうか。科学の世界には、解明されていないたくさんの現象や開発されていない技術があります。科学の研究をするということは、人間のための新しい発見や技術を開発するという、素晴らしい仕事だと思います。

中国で正月を祝う「物華天宝」という言葉があります。「産物は天の恵み」というのがもとの意味ですが、私の解釈は少し違います。「物」とは科学技術のことで、天にある宝を探し出して人類の役に立てることが、科学者の使命だと考えているのです。

ぜひあなたも研究者の道に進んで、感動を体験していただきたいと思います。

| | |
|---|---|
| 1966年3月 | 横浜国立大学工学部電気化学科卒業 |
| 1971年3月 | 東京大学大学院工学系研究科<br>博士課程修了 |
| 1971年4月 | 神奈川大学工学部講師 |
| 1975年11月 | 東京大学工学部講師 |
| 1986年7月 | 東京大学工学部教授 |
| 2003年4月 | 神奈川科学技術アカデミー理事長、<br>JR東海機能材料研究所所長 |
| 2005年1月 | 東京大学特別栄誉教授 |
| 2006年4月 | 東京応化科学技術振興財団理事長 |
| 2008年1月 | 科学技術振興機構中国総合研究センター長 |
| 2010年1月 | 東京理科大学9代学長 |
| 2018年4月 | 東京理科大学栄誉教授 |

## 主な受賞・受章

| | |
|---|---|
| 1983年 | 朝日賞 |
| 2000年 | 日本化学会賞 |
| 2003年 | 紫綬褒章 |
| 2004年 | 日本国際賞、日本学士院賞 |
| 2006年 | 恩賜発明賞 |
| 2010年 | 文化功労者 |
| 2012年 | トムソン・ロイター引用栄誉賞<br>(現クラリベイト・アナリティクス引用栄誉賞) |
| 2017年 | 文化勲章 |

現在、川崎市名誉市民、豊田市名誉市民

# 「向井賞の表彰事業＆記念科学講演会」と 「科学教育の普及・啓発助成事業」

　この本では、向井賞を受賞された科学者とその研究を紹介しています。

　向井賞は、公益財団法人東京応化科学技術振興財団が、科学技術の振興に特に優れた功績をあげられた方を表彰するものです。本財団は1987年、初代理事長の故向井繁正氏（東京応化工業株式会社の創始者）により、科学技術の研究開発や研究交流に対して助成を行うことを目的に設立されました。受賞者には表彰式で記念科学講演会として講演をお願いしております。

　今回紹介しているのは、本間英夫氏（関東学院大学 材料・表面工学研究所 顧問／特別栄誉教授）、益田秀樹氏（東京都立大学 都市環境科学研究科 名誉教授）の2人です。

　2人の研究から、科学のおもしろさ、研究の素晴らしさを感じ、一人でも多くの読者が科学の研究に挑戦し、最高の感動を体験することを願っています。

　また、公益財団法人東京応化科学技術振興財団は、助成事業として平成25年度から、科学や理科に興味を持った青少年を育成するための普及・啓発活動に対して助成を行っています。なお、本助成部門とともに「研究費の助成部門」「国際交流助成部門」「研究交流促進助成部門」の各部門について、選考委員会の選考および理事会の承認を経て助成金を交付しております。また、令和5年度から「科学教育の普及・啓発助成団体表彰」を新たに設け、団体の表彰を行っております。

　この本では、第1回「科学教育の普及・啓発助成団体表彰」での優秀活動賞の「特定非営利活動法人 おもしろ科学たんけん工房」、活動奨励賞の「蔵前理科教室 ふしぎ不思議（くらりか）」の活動についても紹介しています。各団体の青少年への科学教育の普及活動を参考にしてくだされればと思います。

▶向井賞メダル（純金100g）
　（表は初代理事長向井繁正氏の肖像。）

# 向井賞受賞者一覧

| | | |
|---|---|---|
| 第1回<br>平成2年度（1990年） | 受賞者<br>業績 | 小門宏 氏（所属：東京工業大学工学部 教授）<br>光記録材料に関する研究 |
| 第2回<br>平成3年度（1991年） | 受賞者<br>業績 | 北尾悌次郎 氏（所属：大阪府立大学工学部 教授）<br>機能性色素材料に関する研究 |
| 第3回<br>平成4年度（1992年） | 受賞者<br>業績 | 徳丸克己 氏（所属：筑波大学化学系 教授）<br>光化学反応の有機物理化学的手法による研究とその展開 |
| 第4回<br>平成5年度（1993年） | 受賞者<br>業績 | 大西孝治 氏（所属：東京職業能力開発短期大学校 校長）<br>固体触媒反応機構に関する基礎研究 |
| 第5回<br>平成6年度（1994年） | 受賞者<br>業績 | 山本明夫 氏（所属：早稲田大学理工学研究科 客員教授）<br>有機遷移金属錯体の研究 |
| 第6回<br>平成7年度（1995年） | 受賞者<br>業績 | 笛木和雄 氏（所属：東京理科大学理工学部 教授）<br>固体材料の物理化学的研究 |
| 第7回<br>平成8年度（1996年） | 受賞者<br>業績 | 国武豊喜 氏（所属：九州大学工学部 教授）<br>合成二分子膜の開拓と自己組織性分子集合体の研究 |
| 第8回<br>平成9年度（1997年） | 受賞者<br>業績 | 増子曻 氏（所属：千葉工業大学工学部 教授）<br>金属化学プロセスの電気化学的研究 |
| 第9回<br>平成10年度（1998年） | 受賞者<br>業績 | 遠藤剛 氏（所属：東京工業大学資源化学研究所 所長・教授）<br>新しい開環重合の開発と機能 |
| 第10回<br>平成11年度（1999年） | 受賞者<br>業績 | 曽我直弘 氏（所属：滋賀県立大学工学部 教授）<br>無機材料の基礎科学と材料設計に関する研究 |
| 第11回<br>平成12年度（2000年） | 受賞者<br>業績 | 井上祥平 氏（所属：東京理科大学工学部 教授）<br>高分子合成反応の精密制御とその展開 |
| 第12回<br>平成13年度（2001年） | 受賞者<br>業績 | 伊藤靖彦 氏（所属：京都大学大学院エネルギー科学研究科 教授）<br>溶融塩／高温化学系に関する基礎的ならびに開拓的研究 |
| 第13回<br>平成14年度（2002年） | 受賞者<br>業績 | 飯島澄男 氏（所属：名城大学理工学部 教授）<br>高分解能電子顕微鏡の開拓とカーボンナノチューブの発見 |
| 第14回<br>平成15年度（2003年） | 受賞者<br>業績 | 玉尾皓平 氏（所属：京都大学化学研究所 教授）<br>クロスカップリング反応の発見とその応用 |
| 第15回<br>平成16年度（2004年） | 受賞者<br>業績 | 御園生誠 氏（所属：工学院大学工学部 教授）<br>固体触媒の設計と環境触媒への応用 |
| 第16回<br>平成17年度（2005年） | 受賞者<br>業績 | 榊裕之 氏（所属：東京大学生産技術研究所 教授）<br>半導体ナノ構造の形成・評価法と新素子応用の開拓 |
| 第17回<br>平成18年度（2006年） | 受賞者<br>業績 | 鯉沼秀臣 氏（所属：（独）科学技術振興機構 シニアフェロー）<br>酸化物の化学と電子機能に関する革新的研究 |

| | | |
|---|---|---|
| 第18回<br>平成19年度（2007年） | 受賞者 | 入江正浩 氏（所属：立教大学理学部 教授） |
| | 業績 | フォトクロミックアリールエテン分子に関する研究 |
| 第19回<br>平成20年度（2008年） | 受賞者 | 平尾公彦 氏（所属：東京大学 副学長） |
| | 業績 | 量子化学における分子理論の開発 |
| 第20回<br>平成21年度（2009年） | 受賞者 | 岩澤康裕 氏（所属：電気通信大学電気通信学部 教授） |
| | 業績 | 分子レベルの触媒表面設計と動的触媒作用に関する研究 |
| 第21回<br>平成22年度（2010年） | 受賞者 | 増原宏 氏（所属：奈良先端科学技術大学院大学 特任教授） |
| | 業績 | レーザーを駆使した分子光科学の開拓的研究 |
| 第22回<br>平成23年度（2011年） | 受賞者 | 井上晴夫 氏（所属：首都大学東京 教授） |
| | 業績 | 可視光による光化学 |
| 第23回<br>平成24年度（2012年） | 受賞者 | 川合眞紀 氏（所属：独立行政法人理化学研究所 理事） |
| | 業績 | 表面単分子スペクトロスコピー |
| 第24回<br>平成25年度（2013年） | 受賞者 | 小池康博 氏（所属：慶應義塾大学理工学部 教授） |
| | 業績 | フォトニクスポリマーの基礎研究と機能創造 |
| 第25回<br>平成26年度（2014年） | 受賞者 | 黒田玲子 氏（所属：東京理科大学総合研究機構・教授） |
| | 業績 | 固体キラル化学の展開と新しいキラル分光計の開発 |
| 第26回<br>平成27年度（2015年） | 受賞者 | 橋本和仁 氏（所属：東京大学大学院工学系研究科応用化学専攻・教授） |
| | 業績 | 電気化学反応を基礎とするエネルギー・環境科学に関する研究 |
| 第27回<br>平成28年度（2016年） | 受賞者 | 逢坂哲彌 氏（所属：早稲田大学 研究院教授/総長室参与） |
| | 業績 | 電気化学ナノテクノロジーによる学から産への技術発信 |
| 第28回<br>平成29年度（2017年） | 受賞者 | 大越慎一 氏（所属：東京大学大学院理学系研究科化学専攻 教授） |
| | 業績 | 固体物理化学に立脚した新規機能性物質の開拓 |
| ＊ 第29回<br>平成30年度（2018年） | 受賞者 | 本間英夫 氏（所属：関東学院大学 材料・表面工学研究所 顧問／特別栄誉教授） |
| | 業績 | 湿式成膜による機能性薄膜の創製 |
| 第30回<br>令和元年度（2019年） | 受賞者 | 山下正廣 氏（所属：東北大学 材料科学高等研究所 教授） |
| | 業績 | 次世代型高次機能性ナノ金属錯体の創成 |
| 第31回<br>令和2年度（2020年） | 受賞者 | 西出宏之 氏（所属：早稲田大学 名誉教授／招聘研究教授） |
| | 業績 | ラジカル高分子の創出と電荷輸送・貯蔵への実践的展開 |
| ＊ 第32回<br>令和3年度（2021年） | 受賞者 | 益田秀樹 氏（所属：東京都立大学 都市環境科学研究科 名誉教授） |
| | 業績 | アノード酸化プロセスにもとづく規則ナノ構造の形成と機能化展開 |
| 第33回<br>令和4年度（2022年） | 受賞者 | 渡邉正義 氏<br>（所属：横浜国立大学 先端科学高等研究院 特任教授/先進化学エネルギー研究センター センター長） |
| | 業績 | イオン液体を基軸とする有機イオニクス材料の設計と創成 |
| 第34回<br>令和5年度（2023年） | 受賞者 | 片岡一則 氏<br>（所属：公益財団法人川崎市産業振興財団 ナノ医療イノベーションセンター センター長） |
| | 業績 | 高分子合成化学に立脚した新規薬物送達システムの開発 |
| | 受賞者 | 根岸雄一 氏（所属：東京理科大学 理学部第一部応用化学科 教授） |
| | 業績 | 金属ナノクラスターの原子精度での制御とエネルギー・環境触媒への応用 |

＊は、この書籍で紹介している受賞者と研究です。（所属は受賞時）

# も く じ

## 第1章
## 機能性無電解めっき ……………………………… 13

## 第2章
## ナノ構造材料
## 高規則性ポーラスアルミナ …………………… 37

# 今日なしうることに全力をそそげ。
# そうすれば明日は
# 一段の進歩を見るだろう。

## アイザック・ニュートン

（1642〜1727年・イギリス）

「万有引力の法則」のほか、光学、力学などの
分野でさまざまな発見をしました。

# 機能性無電解めっき

# 1. 研究者・本間英夫

　無電解めっきの研究から、産学共同で最新のめっき技術の開発を進めて
こられた本間英夫先生。
　関東学院大学材料・表面工学研究所に本間先生を訪ねてインタビューを
しました。

## 略歴

工学博士。1968年、関東学院大学工学研究科工業化学専攻修士課程修了。1982年、
関東学院大学工学部教授。2002年表面工学研究所所長、2012年材料・表面工学研究
所所長。現在、関東学院大学 材料・表面工学研究所顧問／特別栄誉教授。

# 好奇心旺盛で理科好きだった子ども時代

**Q** 先生が子どもの頃は
どんな少年でしたか？

--------------------------------

**A** 私が幼稚園の頃は戦後の復興期で、あちこちに露店販売が出ていました。好奇心が強かった私は、わくわくして幼稚園には行かずに、こっそり露店販売を見に行ったりしていました。ブリキ製のポンポン船のおもちゃを見て、どうしてこれが動くのか興味があって分解したりもしました。また、穴ゼミをとりに行って、土の中から幼虫をとり出すのに苦労していたとき、結局、穴に水を入れたら幼虫が勝手に出てくるということに気づきました。

こうした経験が理科に興味をもった最初の出来事です。

小学校に入学したときは、カタカナからひらがなに表記が変わった年でした。キリスト教の幼稚園ではひらがなを習っていなかったために、勉強についていけなかったのですが、先生の一言で克服しました。

小学校5年生のときのことです。担任の先生が理科が好きそうな私と2、3人の生徒を指名されて、課外授業を始められたんです。「こんなもの作ってみなさい」と言われて内燃機関のしくみを作りました。それから自信がついたので、小学校の先生には今でも感謝しています。

自信がついた私は中学生になって、講堂で科学手品をやりました。その頃から人を驚かせるのが好きだったんですね。

| 受賞歴 | |
|---|---|
| 2000年 | 表面技術協会協会賞<br>米国電気化学会電析部門研究賞<br>国際表面処理連合サイモンワーニック賞 |
| 2001年 | 特別賞<br>（エレクトロニクス実装学会） |
| 2003年 | 神奈川文化賞 |
| 2006年 | 産官学 連携特別賞 |
| 2007年 | 電気化学会企画賞 |
| 2008年 | 表面技術協会論文賞 |
| 2008年 | エレクトロニクス学会論文賞 |
| 2010年 | 表面技術協会論文賞 |
| 2010年 | エレクトロニクス実装学会賞 |
| 2015年 | 加藤記念賞 |
| 2018年 | 向井賞 |

A 私が高校生のとき、製薬メーカーに
勤められていた人に進路を相談したとこ
ろ、「大学を選ぶんじゃなくて、先生を
選びなさい」と言われたんです。その言
葉を聞いて、「確かにその通りだ」と思っ
て、おもしろそうなことをやっている研
究室を探すことにしました。

そして、本家がアルミサッシの工場を
立ち上げたので、関東学院大学に入り、
卒業研究では、めっき研究をされていた
中村教授の研究室を選びました。

卒業後はアルミサッシの工場を手伝う
つもりでいたのですが、中村教授から大
学院に残って研究を続けるように言われ
たことがきっかけで、めっきの研究を続
けることになったのです。

# 「セレンディピティ」によって
# 偶然がもたらす大発見がある

Q 科学研究のおもしろさは
何ですか？

A 「セレンディピティ」という言葉は、
セレンディップ（セイロン）の３人の王
子のおとぎ話に由来していて、王様が王
子たちに旅をさせ、その旅の途中で王子
たちが偶然にいろいろなものを発見して
いくことから、「思わぬものを偶然に発
見する能力や、幸運を招き寄せる力」を
表現する言葉として使われています。

私は50年以上にわたる研究生活の中
で、いくつかの偶然に遭遇し、予想外の
実験結果が新しい発見につながっていま
す。ただし、旺盛な好奇心や深い洞察力
がないと、目の前に発明のきっかけとな
る現象や偶然との出合いがあっても、そ

れを受け止める心の準備がないと気づき
ません。

科学では失敗を何度も重ねる中で、偶
然がもたらす大発見があり、ようやく成
功の道が開けてくるというおもしろさが
あります。

**Q　めっきの技術をオープンにしている理由は何ですか?**

A　私たちは、プラスチックの上にめっきをする工業技術を世界に先駆けてやったんです。世界中から注目されたのですが、特許は取りませんでした。逆に言いますと、その時、特許を取らなかったおかげで、技術があっという間に日本中に広まりました。官民のいろいろな研究機関の方々が大学に来られたので、何でも隠さずに教えたんです。

　関東学院大学は「人になれ 奉仕せよ」をモットーにいろいろな企業に技術協力をしてきました。新しい技術をオープンにすることは、あらゆる産業の発展につながります。大学の研究から生まれた技術は、社会の役に立つことが重要だと考えています。

# 社会の価値観にとらわれないで
# さまざまな興味関心を広げてほしい

**Q　高校生・大学生に伝えたいことは何ですか?**

A　今の教育は偏差値教育で、大学も有名校ランクで選ぶような時代です。記憶力ばかりが重視されがちですが、批判的な精神であったり、疑問を持つことであったり、新しい発想を持つことが大切です。

　今の社会の価値観にとらわれないで、もっと自由な発想で、いろいろなことに興味、関心を広げて、進路を選んでほしいと思います。

　また、友達をつくることも大切です。1人で考えていても前に進めません。親しい友達は自分を成長させてくれるので、とても大事です。

　読者の皆さんには、自分の発想を大切にし、興味、関心があることに全力で打ち込んでほしいと思います。皆さんの頑張りを期待しています。

**インタビュー動画**

タブレットかスマートフォンで右の二次元バーコードを読み込んでください。

▶本間英夫先生インタビュー
http://kitanobook.co.jp/extra/extra13-2.html

# 2. めっきの基礎知識

本間先生の研究を紹介する前に、めっきとはいったいどんなものかについて簡単に説明します。

## 約3500年前からあった めっきの技術

めっきは漢字で「鍍金」と書きます。広辞苑によると「①金属の薄膜をほかのもの（主として金属）の表面にかぶせること。また、その方法を用いたもの。装飾、防食、表面硬化、電気伝導性の付与、磁気的特性、潤滑性、接着性の改善のために施す。②中身の悪さを隠して、外面だけを飾りつくろうこと。」とあります。

めっきの歴史は古く、約3500年前の紀元前16世紀に北部メソポタミア（現在のイラク）のアッシリアでは、鉄器などへのスズのめっきが行われていました。

紀元前700年ごろには、東ヨーロッパの遊牧民族によって青銅に金めっきが行われていました。中国では、紀元前500年ごろに青銅器に金めっきを施したという記録が残っています。これらのめっきは、水銀を使った「アマルガム法」という方法で行われていました。

▶古代のめっきの歴史

| 年 | 出来事 |
|---|---|
| 紀元前16世紀 | 北部メソポタミア（現在のイラク）のアッシリアで、鉄器などへのスズめっきが行われた。 |
| 紀元前700年頃 | 中央アジアのスキタイ王国（紀元前700～250年頃）で、青銅の表面に金めっきした動物文様の工芸品が多数出土。 |
| 紀元前500年頃 | 戦国時代の中国で、青銅器に金めっきが施された。 |
| 4～5世紀頃 | 古墳時代の日本に、中国からの渡来人によってめっきの技術が伝えられた。大山古墳（仁徳天皇陵）の埋蔵品の甲冑に施されためっきが日本で最古のものとされる。 |
| 752 | 奈良時代、東大寺の大仏に金めっきが施された。 |

## 水銀を使って金めっきを施した奈良の大仏

　日本では4〜5世紀ごろに中国からの渡来人によってめっきの技術が伝えられています。

　「東大寺大仏記」によると、大仏の金めっきには、水銀がおよそ820kg、金がおよそ150kgも使われたそうです。その方法は、まず金1に対して水銀5の割合で水銀中に金を溶かしたアマルガムをつくります。このアマルガムを磨いた鋳物の表面に塗り、表面を松明で350℃くらいに加熱すると水銀が気化し、金の層だけが表面に残され、金めっきされた大仏ができます。

　大仏は、顔だけで約15m$^2$の面積があり、大仏全部の金めっきが終わるまでに、5年以上かかったといわれています。

　日本では、電気めっきが発明される明治時代後期にいたるまで、アマルガム法によるめっきを使ったさまざまな装飾品が作られました。

東大寺大仏の完成当時のイメージ

兜、鎧

馬具

## 電気めっきの登場で
## めっきの工業化が進んだ

1805年、イタリアの発明家ルイジ・ヴァレンティノ・ブルニャテッリがボルタが発明した電池を使って、電気めっき法を発明しました。その後、ヨーロッパの各国でさまざまな電気めっき法が開発され、広まっていきました。

電気めっきの方法は、めっきをしたい（析出させたい）金属を陰極（マイナス側、カソード）とし、めっき皮膜となる金属のイオンを含む溶液に浸し、電気分解します（下図）。すると、陰極側の素材の界面近くに存在する金属イオンが電子を受け取って（還元）、金属として表面に皮膜を形成します（析出）。

日本で初めて電気めっきを行ったのは幕末の薩摩藩主島津斉彬公です。斉彬公は桜島湾に西洋流の新工場を建設し、製鉄を始め、鎧や兜などの金属製品に金や銀の電気めっきを施しました。

明治時代には西洋から新しいめっき技術が導入され、金、銀のめっきから、ニッケルめっきへと発展していきました。1887年には日本で初めての本格的めっき工場である宮川電鍍工場が設立され、ニッケルめっきが施されました。

工業化によるめっきの量産が進んだ背景には、電池に替わって大容量の直流発電機が使われたことが挙げられます。

▶電気めっきのしくみ

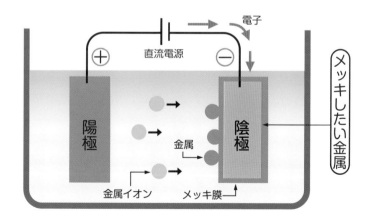

## 膜厚が均一になる無電解めっき（化学めっき）

電気を使わない「化学めっき」（無電解めっき）の始まりは、1835年にドイツで開発されたガラス面に銀を析出させる銀鏡反応が最初とされています。その後、米国国家標準局のブレンナーらが鋼管内部のめっきを検討中に、偶然、自触媒反応による無電解ニッケルめっき現象を発見し、1946年に発表しました。

無電解めっきは、電気を使わずにめっき溶液中の金属イオンと還元剤との化学反応によって、被めっき物（金属やプラスチック）の表面に金属を析出させる方法です。

無電解めっきの特長は、硬さ、耐摩耗性、耐食性、非磁性安定性に優れている点で、しかも、電気めっきの弱点であった膜厚均一性を実現させたのです。

日本では、1957年に無電解ニッケルめっきプロセスが工業化されました。

1962年、アメリカでABS（アクリルニトリル・ブタジエン・スチレン）樹脂というプラスチックが開発され、その後、このABS樹脂上への銅-ニッケル-クロムめっき技術が世界に先駆けて関東学院大学で確立されました。

プラスチック上へのめっきが開発されたことで、工業製品の材料費の低減や軽量化、燃費の向上、デザイン性の向上など、さまざまな産業の発展につながっていきました（25ページ）。

### ▶めっきの方法の変遷と特徴

| アマルガム法 | 電気めっき | 無電解めっき |
|---|---|---|
| 被めっき物にアマルガム（水銀と金や銀の合金）を塗り、加熱して水銀だけを蒸発させて金や銀を定着させる | 被めっき物を陰極にして、めっき皮膜となる金属の溶液に浸して電気分解することで陰極の表面に金属を析出させる | 電気を使わず、溶液中の金属イオンと還元剤との化学反応によって、被めっき物の表面に金属を析出させる |
| ●特徴<br>・装飾、防食<br>・水銀による健康被害や環境問題がある | ●特徴<br>・大量生産が可能<br>・膜厚が不均一 | ●特徴<br>・硬さ、耐摩耗性、耐食性、非磁性安定性、膜厚均一性 |

## エレクトロニクス産業を発展させためっき技術

プラスチック樹脂に銅めっきを施せる技術が生まれたことで、最も発展を遂げたのはエレクトロニクス産業です。

1950年代、真空管ラジオに替わってトランジスタラジオが登場すると、プリント配線板が考案されました。プリント配線板とは、合成樹脂でできた絶縁（電気を通さない）基板の上に銅によって印刷配線をして回路を作り、その上に部品を接続するものです。

このプリント配線板の製造には、ミクロン単位のエッチング技術とめっき技術が使われています。

その後、両面配線板の表と裏の回路を、基板に開けた穴にまず無電解銅めっき、次に電気銅めっきをすることで接続をする「スルーホール（貫通）めっき」技術

が開発されました。

さらに、電子部品の配線が高密度化すると、回路の層を重ねた多層基板（ビルドアップ基板・右ページ図）の回路形成に、無電解銅めっきと電気銅めっきが重要な役割を果たしました。

このように、現代の電子機器の小型化、軽量化、多機能性の実現において、めっき技術がなくてはならないものとなっています。

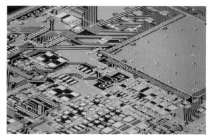

ミクロンの大きさで複雑な配線を実現するプリント基板

▶無電解めっきの歴史

| 年 | 出来事 |
|---|---|
| 1835 | ドイツのトレンスにより、ガラスの表面に銀が膜を形成する「銀鏡反応」が発見された。 |
| 1944 | 米国のブレンナーとリデルが偶然に自触媒反応によって無電解ニッケルめっき現象を発見し、1946年にそれを発表。 |
| 1957 | 日本で無電解ニッケルめっきの工業化を開始。 |
| 1961 | 両面プリント基板の表裏の回路をつなぐ「スルーホールめっき」が開発された。 |
| 1998 | 電気銅めっきによって配線を形成する「ダマシンめっき」（28ページ）が開発された。 |

▶ビルドアップ基板

　穴の内側に銅めっきをしたスルーホール（基板の表と裏の回路をつなぐ貫通穴）とビアホール（基板の層と層の回路をつなぐ穴）によって、回路が立体的に配線されている。

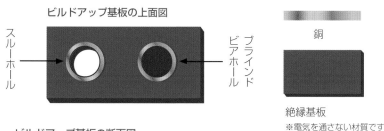

ビルドアップ基板の上面図

スルーホール

ブラインドビアホール

銅

絶縁基板
※電気を通さない材質です

ビルドアップ基板の断面図

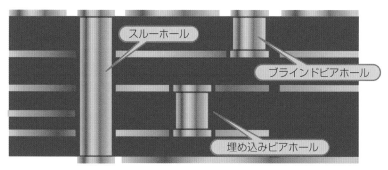

スルーホール

ブラインドビアホール

埋め込みビアホール

---

（用語解説）

【銀鏡反応】

　ぶどう糖などの還元性のある有機化合物に硝酸銀アンモニア溶液を加えて温めると、銀イオンが還元されて析出し、ガラスに付着する反応。

【アマルガム】

　水銀と他の金属の合金の総称。広い意味では、混合物一般をさす。水銀は他の金属との合金を作りやすい性質があり、常温で液体になる合金も多い。

【ニッケルめっき】

　通電によってニッケル金属の皮膜を析出させる。さびにくく、硬さ、柔軟性など物理的な性質が良好。ニッケルめっきは、大気中で徐々に酸化されて変色し光沢を失うため、長い間変色させないために、ニッケルの上にクロムめっきや貴金属めっきを施すことが多い。

# 3. 無電解めっきの応用分野

　めっきが使われていない工業製品はないと言っていいくらい、めっきは現代になくてはならない技術になっています。

## 自動車部品に使われているめっき技術

　めっき技術が使われている代表的な工業製品は自動車です。めっき技術が使われる以前の自動車は、ほとんどの部品が金属製だったため非常に重く、燃費も悪いものでした。

　現在の自動車を見ると金属製に見えるエンブレム、ラジエーターグリル、サイドミラー等は、プラスチック樹脂にめっきを施したものです。バンパーやドアハンドル等もめっきです。

　また、自動車のボディや内部の部品は鉄の鋼板で作られていますが、その表面には、サビ止めのためにめっきが施されています。

　エンジンのピストンリングやシリンダの内壁、ブレーキ部品には、耐摩耗性のために硬いめっきが施されています。

▶自動車におけるめっき技術の活用

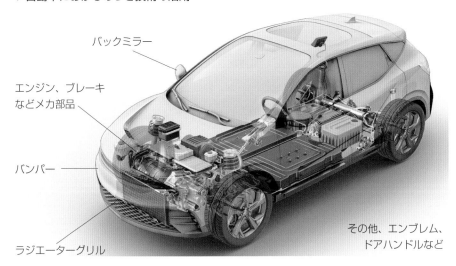

バックミラー

エンジン、ブレーキ
などメカ部品

バンパー

ラジエーターグリル

その他、エンブレム、
ドアハンドルなど

## めっきが施された多層基板が製品に使われている

　多層基板は、ICや抵抗、コンデンサなどと同様に、電子機器のための重要な電子部品の一つです。

　多層基板は、スマートフォンやパソコンなどの小型機器から家電製品、医療機器、産業ロボット、自動車、航空機まで、ありとあらゆる機器において使用されていて、今やどんな電子機器も多層基板なしでは作れなくなっています。多層基板に使用されているめっき技術は、現在の私たちの生活に大きく役立っています。

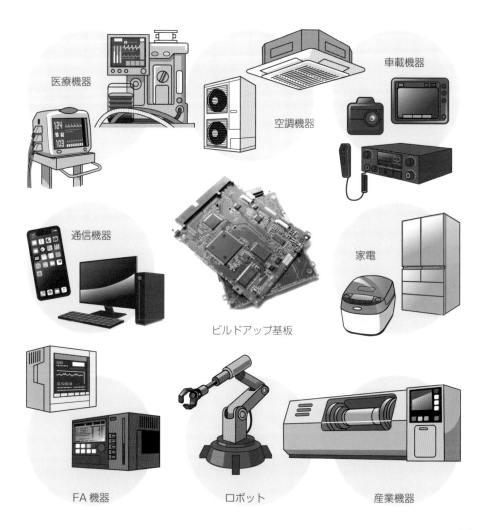

医療機器

空調機器

車載機器

通信機器

ビルドアップ基板

家電

FA 機器

ロボット

産業機器

# 4. 本間英夫先生の研究内容

　第29回向井賞を受賞された本間英夫先生の研究の一部を要約してご紹介します。

# めっき技術の新展開と高度化

～プラスチックに金属をどのように接続するか～

## ■ プラスチック樹脂上に金属の回路を接続する

　プラスチック樹脂の基板上にめっき技術で金属の回路を接続する方法は、大別するとサブトラクティブ法とアディティブ法、さらには半導体の回路形成としてダマシン法があります。

　アディティブ法は、必要な部分だけ銅めっきして回路形成する方法、サブトラクティブ法は、あらかじめ銅箔で全面を覆った基板を使い、配線部分以外の銅箔を除去することで配線パターンを製造する方法です（右ページ図）。「サブトラクティブ」とは「減算」という意味です。

　この方法は、エッチング技術による制限から、配線幅と配線間隔を相当に大きくとる必要があります。プリント基板をより細密で立体的にしようとすると、配線幅や配線間隔を狭めていく必要があ

り、このことがトラブルの原因となることがあります。

　プリント基板では、銅箔と基板の接着力を強くする必要があるため、基板と銅箔の接着面は表面を粗くしています。しかし、基板の凹みに食い込んだ銅箔は、エッチングのときに剥離されきらずに残ってしまうことがあり、ショートの原因となります。

　1950年代末～60年代、ABS樹脂を用いたプラスチックめっきが工業化された時期には、めっきの前処理、回路をプリントするマスク、エッチング技術、基板と銅の接着強度など、すべての工程に多くの問題点がありました。それぞれの問題点を解決する技術開発を行ったことで、プリント基板の微細化と積層化が実現できたのです。

## ▶銅箔を使った回路形成法（サブトラクティブ法）

### 1.レジスト塗布

　基板のプラスチック樹脂（絶縁層）に銅箔をめっきした上にレジスト（光に当たると硬化する性質をもつ物質）を塗る。

### 2.露光

　レジストの表面に、回路パターンのフィルムをのせ、紫外線を照射してレジストを露光させる。

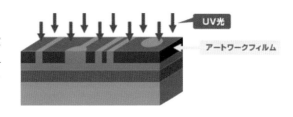

### 3.現像

　露光した部分のレジストは硬化し、その他の部分は硬化しない。これを溶剤の中に入れて、露光しなかった部分のレジストを除去する。

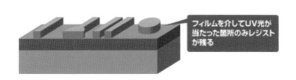

### 4.エッチング（腐食溶融）

　レジストの溝から見えている銅箔を、化学薬品の腐食溶融によって除去する。

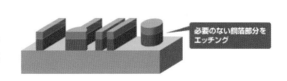

### 5.レジスト剥離

　銅の表面から硬化したレジストを溶剤で剥離することで、銅の配線が完成する。

## ダマシン法と
## ビルドアップ工法

　サブトラクティブ法では、エッチングによって銅をきれいに除去することが困難であったため、１９９０年代に新たに開発されたのがダマシン法です。

　ダマシン法は、基板上の絶縁膜に配線パターンの溝を形成し、電解めっきによって導体となる銅を溝に埋め込みます。最後に表面を研磨して平坦化します（右ページ図）。

　このダマシン法の開発とサブトラクティブ法の技術改善、ビルドアップ工法による多層基板（23ページ）の登場により、微細な回路形成が実現されました。

　この間、関東学院大学の本間研究室では、硫酸銅めっきの開発や樹脂の改質、導体層とセラミックやガラス等の絶縁層との密着強度の改良など、あらゆる工程で成果を上げてきました。

　中でも最も大きな成果を上げたことは、二酸化チタンとUV（紫外線）を用いて基板表面の改質を行い、平滑面に対して密着性に優れた銅皮膜形成を可能にしたことです（下ページ図）。

　その後、大気UV処理、低濃度オゾンナノバブル処理法等を開発し、この手法を用いることで、高精度の回路形成や高周波領域における信号遅延の防止が達成されました。

▶プラスチックに複雑な凹凸を酸化剤で形成
　（紫外線照射により、滑らかな基板表面を形成。）

過マンガン酸処理

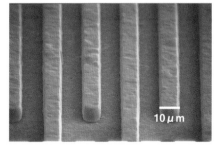

10μm

紫外線照射

▶ダマシン法（バリア層とシード層を形成した場合）

## 1.回路パターンプリント

基板上の絶縁層の上にハードマスク層を塗り、回路のパターンの溝を形成する。

## 2.エッチング

絶縁層をエッチングして回路の溝をつくった後、ハードマスクを除去する。

## 3.バリア層とシード層を形成

絶縁層の溝の表面にバリア層（※1）という膜とシード層（※2）という膜を形成する。

## 4.電気銅めっき

電気銅めっきによって導体となる銅を絶縁層に埋め込む。

## 5.平坦化

CMP（化学的機械的研磨）技術で表面を削って平らにし、絶縁層の表面を露出させる。

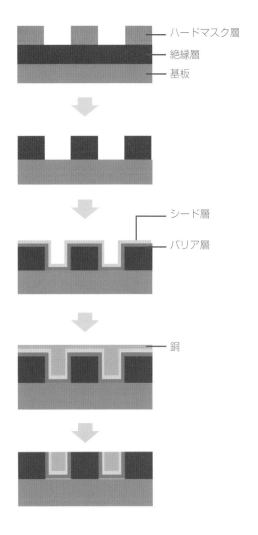

ハードマスク層
絶縁層
基板

シード層
バリア層

銅

（※1）バリア層（バリアレイヤー）…バリア層とは，配線材料である銅が層間絶縁膜中に拡散するのを防ぐために銅配線と絶縁層の間に形成される薄膜のこと。

（※2）シード層（シードレイヤー）…シード層とは、バリア層上に形成する銅の薄膜。電気めっきの陰極として、めっき銅成長の「種」（シード）の役割の他、導体のベースフィルムとの密着強度を安定化する接着剤のような機能も持つ。

# 5. 研究室訪問

　本間英夫先生が特別栄誉教授・顧問をしていらっしゃる関東学院大学材料・表面工学研究所を訪ねました。

## 関東学院大学
## 材料・表面工学研究所

　材料・表面工学研究所は、「世界レベルの研究開発を行い、その独創性を持って学界を先導する」「新しい世界的技術標準を創り、その価値を企業に提供する」「表面工学の高度技術者を育成する」「公明正大を旨とする」の４つを理念としています。研究室を訪ね、大学院の学生にお話をうかがいました。

関東学院大学金沢八景キャンパス

# いろいろなことに出合う可能性がある

回答者：修士課程2年 男子学生

**Q** 子どものころから
理科が好きでしたか？

**A** 中学生のころから理科の実験が目に見えて結果がでるところが面白くて、理科が好きでした。大学は別の大学の理学部を卒業しました。先輩からこの研究所を紹介してもらって、めっきに興味があったので、この研究室にやってきました。

**Q** 研究室に入ってみて、
どう思いましたか？

**A** 本間先生の方針なんですが、この研究室は自由に研究をやらせてもらえる場所です。めっきに限らず、表面工学の広い範囲の中で研究テーマを選ぶことができます。また、ほかの人たちとの関係もとても良好なので、ぎすぎすしたところがなく研究がやりやすいです。

**Q** 中学生・高校生に
伝えたいことは？

**A** よく大人から「夢は何ですか？」と聞かれることがありますが、特に無い人も大勢いると思います。自分も高校生のころはそうでした。夢が無いのがいけないんじゃなくて、知らないだけなんです。僕もめっきのことなど知りませんでした。ですから夢が無くても全然問題ありません。逆に、これからいろんなことに出会える可能性があるということです。

　ただし、中学生・高校生の勉強というのは、視野を広げるためのものなので、勉強しておけば後々になって楽になると思います。

# 学校の勉強だけでなく、幅広い知識を

回答者：修士課程2年 男子学生

**Q** この研究室に入った
きっかけは何ですか？

**A** 小さい頃から、物を分解するのが好きでした。それで、この大学の機械系の学部を卒業したのですが、ここの研究室でめっきの研究をやっているというのを聞いて、実験ができるところがいいなと思ってこちらに来ました。

**Q** 研究室に入ってみて、
どう思いましたか？

**A** 大学院生は10人ぐらいいるのですが、自分の研究分野だけではなくて、ほかの人の研究も知ることができるところがいいと感じます。

　装置の使い方などをほかの人から教えてもらえるといったように、コミュニケーションがとれていて、とてもいいです。

**Q** 今後の進路は
どう考えていますか？

**A** やはり研究職に就きたいのですが、

まだまだ知識や経験が浅いので、いったん就職して、可能であれば博士課程に戻って研究を続けたいと考えています。

**Q** 中学生・高校生に
伝えたいことは？

**A** 研究室では、専門分野に必要な知識だけでなく、全く別の知識が役に立つことがたまにあります。

　テレビや本などで得た知識が、ふとした時に役立つことがあるので、学校の勉強に限らず、いろんなことに触れておくことが大事だと思います。

# 文系・理系で迷ったら、理系がおすすめ

回答者：修士課程1年 女子学生

**Q** 大学進学の際に、理系の学部を選んだ理由は？

**A** 高校では特に将来の夢とかはありませんでした。進学の際に理系か文系か迷った時、理系に進んでおけば、後で文系の勉強もできるかなと思ったんです。

　私は福島県の出身で、中学生の時に東日本大震災の原発事故を経験したので、環境問題とか化学とかを勉強することにしました。

**Q** 研究室に入ってみて、どう思いましたか？

**A** めっきの研究に興味を持った時に、本間先生に連絡をしたところ、すぐに「リモートでお話をしましょう」と、お返事をいただいて、直接お話をしていただきました。そういう行動力が素晴らしいと感じました。この研究室の先生方は、みなさん熱心に指導してくださいます。そういう点が気に入っています。

**Q** 今後の進路はどう考えていますか？

**A** 私の父がめっきの会社をやっているんです。ですから、いずれは父の会社を引き継いで、今学んでいることが役に立ったらいいと思います。

**Q** 中学生・高校生に伝えたいことは？

**A** 私自身の経験から、まだ何も進路が決まっていない人には、理系の進学を勧めたいです。文系では学べないことが学べて、理系の大学に入ってよかったと感じているからです。

# 留学生として研究を楽しんでいます

 回答者：修士課程 2 年 男子学生

**Q** 大学進学の際に、理系の学部を選んだ理由は？

**A** 私は中国からの留学生です。中学生のときは物理が大好きでした。実家が機械工場を経営していたので、自然と理系に進んだ感じです。学部は機械科だったのですが、たまたま実家がめっき装置の開発をしているということもあって、めっきに興味を持ってこの研究室に入りました。

**Q** 研究室に入ってみて、どう思いましたか？

**A** この研究室に入ったのは親の勧めもあったのですが、入ってみると機械よりもずっとおもしろいと感じました。

ここでは、安全さえ確保できていれば、いろんな実験を自由にやらせてもらえるんです。たとえ結果がだめだとわかっていても、先生方は「やってみなさい」と言ってくれます。そういった点が楽しいです。

**Q** 今後の進路はどう考えていますか？

**A** 僕は修士課程を終えて博士課程に進むことが決まっているのですが、中国に帰って実家の仕事をしながら勉強する予定です。

実家の工場では、めっき装置に適した薬品の開発などをやっていきたいです。

**Q** 中学生・高校生に伝えたいことは？

**A** 日本の有名大学を 8 校ぐらい受験したのですが、全部落ちたんです。その時は悔しかったのですが、この大学に入ってみてよかったのは、こちらから勉強したいという意欲を出せば、先生たちがちゃんと応えてくれるところです。

たとえ偏差値の高い有名な大学に入ったとしても、自分がやりたい勉強ができなかったら学生生活も楽しくないでしょう。ですから、興味が持てそうな勉強ができる大学を選ぶといいと思います。

# 研究室は堅苦しくなく楽しいところ

回答者：修士課程2年 男子学生

**Q** この研究室を
選んだ理由は？

**A** 私は韓国からの留学生です。韓国の大学では、文系のデザイン科を卒業しました。日本で勉強して将来の夢を広げようと思って、こちらの研究室にやって来ました。

**Q** 研究室に入ってみて、
どう思いましたか？

**A** 実験をして、結果が予想していた結果と違っていても、「それは失敗ではなくて新しい発見につながるものだ」と言ってもらえるんです。そういった前向きな雰囲気がすごくいいところです。

**Q** 今後の進路は
どう考えていますか？

**A** 幼い頃から車が大好きで、自動車関連の会社で仕事がしたいという夢があります。
研究室で学んだめっきの知識をいかせたらいいと思います。

**Q** 中学生・高校生に
伝えたいことは？

**A** ここに入る前は、研究室というのは理論的でとても堅苦しいところだと思っていました。実際には、実験が中心で、頭だけではなくて手を使って結果を出すところがおもしろいと感じました。
高校生の人たちには、研究室は堅苦しいところではなくて楽しいところだということを伝えたいです。

# どんな真実も発見してしまえば
# 誰でも簡単に理解できる。
# 大切なのは発見することだ。

## ガリレオ・ガリレイ

（1564〜1642年・イタリア）

「振り子の等時性」「落体の法則」「慣性の法則」
などを発見しました。

## 第2章

# ナノ構造材料 高規則性 ポーラスアルミナ

# 1. 研究者・益田秀樹

　ナノ（1ナノメートル=1mmの100万分の1）スケールの均一な孔（あな）が規則的に開いた「高規則性ポーラスアルミナ」というフィルム状の構造材料があります。高規則性ポーラスアルミナは、さまざまなナノ構造材料を作製する際の基盤材料として、多くの分野から注目されています。

　益田秀樹先生は長年、この高規則性ポーラスアルミナの生成と応用に関わる研究に携わってこられました。

　ナノテクノロジーの最先端の研究において大きな成果を挙げられた益田先生を訪ね、インタビューに答えていただきました。

## 略歴

工学博士。1982年東京大学大学院工学系研究科工業化学専攻博士課程修了。1982年日本放送協会放送技術研究所研究員、1986年東京都立大学工学部助手、1991年同助教授、1999年東京都立大学大学院工学研究科応用化学専攻教授。現在、東京都立大学名誉教授。

# 美しい形を求めて

**Q** 高規則性ポーラスアルミナの
研究をされた経緯は？

---

**A** ポーラスアルミナという物質は、ずっと前からあったものです。アルミニウムを陽極（＋極）にして酸の電解液で電気分解することで、表面にできる酸化皮膜がポーラスアルミナ（多孔性酸化アルミニウム）です。ナノサイズの孔が規則的に開いていることが特徴なのですが、すべてきれいに孔が開くわけではなく、所々に欠損点となる不格好な孔が開いてしまいます。

このポーラスアルミナを工業材料にするためには欠損点のない規則的な孔の配列にしなければならないと考えて研究を始めたのです。工業材料にするという目的もありますが、ポーラスアルミナの孔が不揃いだったものがきれいに形が整うと単純に面白いじゃないですか。そういったことを思いながら研究をしていました。

私はこの研究を通じて、モノの美しい形に面白みを感じるというか、深く興味を持つようになりました。孔の規則性が得られると、丸い孔だけではなくて、三角形や四角形の孔ができないかと考えるようになりました。ふだんから形のことばかり考えていたせいなのか、道を歩いていて、マンホールのふたに△や□の模様があると、つい目がいってしまったほどです。ただし、いきなりポンときれいな形ができるわけではなくて、「こんな形を作りたい」とイメージして、失敗を何度も繰り返しながら少しずつ積み上げて作っていったんです。

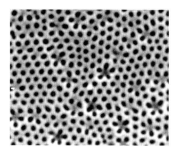

不規則な孔のポーラスアルミナ

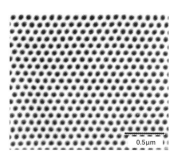

高規則性ポーラスアルミナ

## Q 研究のおもしろさは何ですか？

**A** ハチの巣は六角形の孔が規則的に並んだ「ハニカム構造」ですが、ポーラスアルミナも同じハニカム構造で、ハチの巣の孔の約10万分の1のサイズです。

ハチの巣はハチが作りますが、ポーラスアルミナの細孔は、「自己組織化」によって形成されます。つまり、自然がつくりだす形です。電圧や電解液などの条件を設定することで欠損点のない細孔の規則化が起こります。

研究の中で、こうした自然がつくり出す美しい形を得られた時には、驚きや感動があります。それが化学の不思議であり、おもしろさではないでしょうか。

# 自然がつくり出す美しい形に
# 驚きや感動がある

## Q 子どものころから理科が好きでしたか？

**A** 子どものころから理科好きのいわゆる科学少年だったわけではありません。それでも小学校の実験でも化学系の実験はおもしろいなあと感じてはいました。

中学3年生の時の担任の先生に勧められて、高校の理数科に進学したのが科学の道に進んだきっかけです。私たちの頃の理数科というのは普通の高校のカリキュラムと少し違う勉強をしていて、大学でやるような授業までやっていました。

理科に興味があったのは当然ですが、そのころは研究者になろうという気持ちはありませんでした。

東京大学では2年から3年に進級するときに専門を決めるのですが、工学部の応用化学系に進みました。その理由は、大学で研究したことが、実際に世の中の役に立つものとして形になればいいな、という気持ちがあったからです。

大学院では（光化学と電気化学を組み合わせた）分光電気化学の研究をしていたのですが、ちょうどナノテクノロジーが世に出始めたころだったので、その後の研究につながったと思います。

**Q 研究者という仕事の魅力は何ですか？**

**A** 研究者というのは、楽しいことでもありますし、苦しい面もあります。自分のやりたい研究を続けることはなかなか難しいこともあります。そういう意味では、私はラッキーな方だと思います。

誰もやっていない新しいことに挑戦できたからです。全く新しいことというのはなかなかないんですが、ある研究の中で、この部分は誰もやっていないというものがあります。私の場合は、物の形を観察することでした。数式を解析したり

するわけではなくて、非常にシンプルなんですね。うまくいくかいかないかが眼で見てはっきりわかります。新しくすごくいい形ができるというのは1年に1回ぐらいしかありませんが、その時が研究している上での喜びでした。ですから、私の研究室の学生には、「こんな形が作れないか」といった課題を出して、すべての学生に新しいものを生み出す喜びを感じてもらうように指導していました。

世の中の人から「こんな形ができるんですか」と驚かれるのも研究者としての喜びですね。

# 研究者は、まだ誰もやっていない新しいことに挑戦できる

**Q 研究者を目指す学生にアドバイスはありますか？**

**A** 研究者にはいろいろなタイプの人がいます。研究のやり方も一人ひとりさまざまですので、大学の先生方を参考にして、自分の研究スタイルを見つけていってほしいと思います。

大学院までは、学生は先生からテーマを与えられます。それから先、研究者になろうと思ったら、自分がどんな研究をしていくかは、自分で切り開いていかなければいけません。その時に、おもしろ

さとかやりがいを感じながら、まだ誰もやっていないことを見つけてほしいと思います。

# 2. ナノテクノロジーの基礎知識

　益田先生の研究を紹介する前に、ナノテクノロジーとはいったいどんなものかについて簡単に説明します。

## 顕微鏡で見える大きさ

　ヒトの肉眼で見えるものの大きさは、0.1mmぐらいです。それより小さいものを拡大して観察する装置が顕微鏡です。顕微鏡は大きく分けて二種類あり、光を用いて観察する装置が「光学顕微鏡（OM）」、電子を用いて観察する装置が「電子顕微鏡」です。電子顕微鏡には「走査型電子顕微鏡（SEM）」と「透過型電子顕微鏡（TEM）」があります。

　光学顕微鏡では、約1μm（1マイクロメートル＝1mmの1000分の1）までしか見られないのに対して、電子顕微鏡では約0.1nm（1ナノメートル＝1mmの100万分の1）まで見ることができます。

　電子顕微鏡の発明と性能の向上によって、ヒトの肉眼では見えないナノの世界の研究が大きく進歩し、原子や分子を自在に制御することで有用な機能を得る技術（ナノテクノロジー）が発達しました。

▶顕微鏡の種類

電子顕微鏡

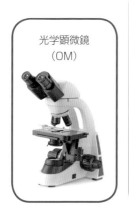

光学顕微鏡
（OM）

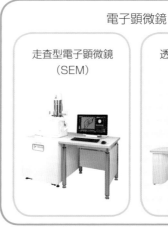

走査型電子顕微鏡
（SEM）

透過型電子顕微鏡
（TEM）

## ▶顕微鏡で見える大きさ

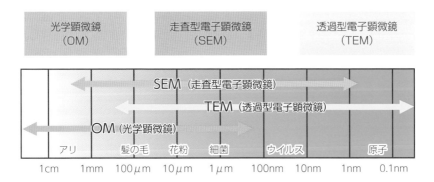

| 光学顕微鏡（OM） | 走査型電子顕微鏡（SEM） | 透過型電子顕微鏡（TEM） |

SEM（走査型電子顕微鏡）
TEM（透過型電子顕微鏡）
OM（光学顕微鏡）

| アリ | 髪の毛 | 花粉 | 細菌 | ウイルス | 原子 |

1cm　1mm　100μm　10μm　1μm　100nm　10nm　1nm　0.1nm

・mm（ミリメートル）………人間の目で見える大きさ
・μm（マイクロメートル）…光学顕微鏡で見える大きさ
・nm（ナノメートル）………電子顕微鏡で見える大きさ

## ▶アサガオの花粉を顕微鏡で見る

走査型電子顕微鏡（約600倍）

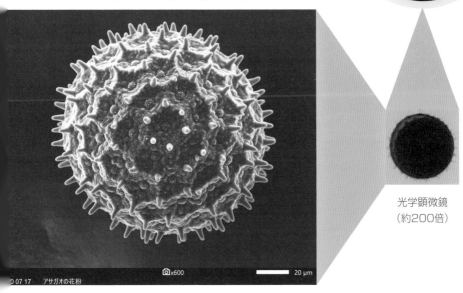

0 07 17　アサガオの花粉
x600　　　　20 μm

光学顕微鏡
（約200倍）

# 顕微鏡で見た世界

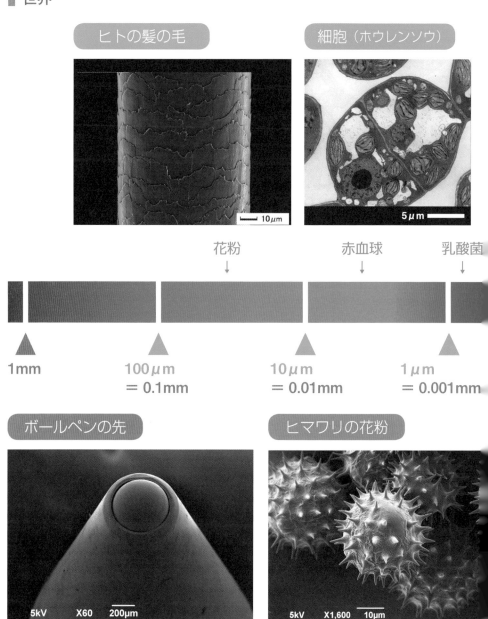

ヒトの髪の毛

細胞（ホウレンソウ）

10μm

5μm

花粉 ↓　　　　赤血球 ↓　　　　乳酸菌 ↓

1mm

100μm
= 0.1mm

10μm
= 0.01mm

1μm
= 0.001mm

ボールペンの先

ヒマワリの花粉

5kV　　X60　　200μm

5kV　　X1,600　　10μm

## ウイルス

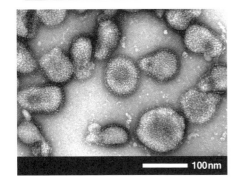

100nm

電子顕微鏡を使うと、細胞や細菌、ウイルス、原子の形まで確認することができます。ただし、電子顕微鏡は光ではなく電子を使って像を描いているため、色は見ることができません。

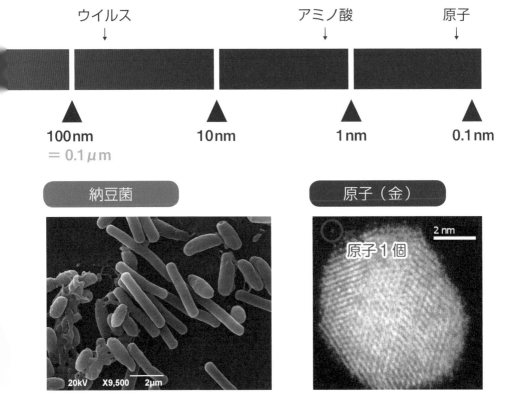

ウイルス
↓

アミノ酸
↓

原子
↓

▲
100nm
＝ 0.1μm

▲
10nm

▲
1nm

▲
0.1nm

## 納豆菌

20kV　X9,500　2μm

## 原子（金）

2 nm

原子1個

「画像提供：日本電子株式会社」

## ナノテクノロジーで
## 新しい物質をつくる

透過型電子顕微鏡（TEM）は、1930年代前半にドイツのエルンスト・ルスカによって発明され、1939年にシーメンス社によって商用開発されました。走査型電子顕微鏡（SEM）も同じ頃に研究が始まり、1960年代に商品化されました。電子顕微鏡が開発されたことによって、化学・物理学・生物学・医学などの研究が急激な進歩を遂げました。

1982年にはさらに精密な観察が可能な走査型トンネル顕微鏡が開発され、原子レベルの物質を制御する「ナノテクノロジー」が進歩しました。ナノテクノロジーとは、原子や分子の配列をナノスケールで自在に制御することにより、望みの性質を持つ材料を作る技術のことです。

代表的な例では、炭素原子からなるさまざまな物質があります（右ページ図）。

1985年に発見されたフラーレンという物質は、炭素原子が60個集まってサッカーボールのような形をしています。フラーレンはナノテクノロジーによってつくり出され、プラスチックの強度を上げるために混ぜられたり、化粧品の成分として使われています。

また、1991年には、筒状のカーボンナノチューブが発見されました。カーボンナノチューブは、電気の伝導性、熱伝導性、耐熱性の面でこれまでの素材よりも高い性能を持っていて、「夢の新素材」としてさまざまな用途への期待が高まっており、現在も開発が進められています。

▶ナノテクノロジーの歴史

| 年 | 出来事 |
|---|---|
| 1959 | 米国の物理学者リチャード・ファインマンがナノテクノロジーの可能性を講演。 |
| 1982 | スイスの物理学者ゲルド・ビニッヒとハインリッヒ・ローラーが走査型トンネル顕微鏡を発明。 |
| 1985 | 米国のロバート・カールや英国のリチャード・スモーリーが、炭素分子が形作る球状分子フラーレンを発見。 |
| 1990 | ＩＢＭチューリッヒ研究所が、走査型トンネル顕微鏡を用いて、原子をひとつずつ移動させ、ＩＢＭの文字を書くことに成功。 |
| 1991 | 日本の飯島澄男が炭素原子のみからなるカーボンナノチューブを発見。 |
| 2000 | 米国のクリントン大統領が国家ナノテクノロジー戦略を発表。 |
| 2001 | 日本の経済産業省がナノテクノロジー戦略を開始。 |

＊ナノテクノロジーは、燃料ナノセル（2008年）、カーボンナノチューブコンピュータ（2013年）など、半導体技術やITにおいて新素材や新機能の創出に寄与しています。また、薬物伝達システムなど、医療への応用にも注目が集まっています。

▶炭素原子からなる物質

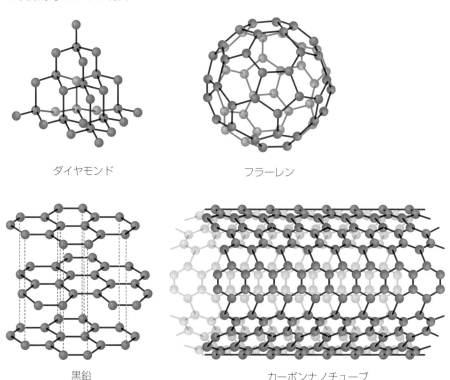

ダイヤモンド

フラーレン

黒鉛

カーボンナノチューブ

┌─────────────┐
│ 用語解説 │
└─────────────┘

【走査型トンネル顕微鏡】

　非常に鋭く尖った探針を導電性の物質の表面または表面上の吸着分子に近づけ、流れるトンネル電流から表面の原子レベルの電子状態、構造などを観測する。

【カーボンナノチューブ】

　細さ、軽さ、柔軟性から、次世代の炭素素材、ナノマテリアルといわれる。径は、0.4〜50nmでさまざまな用途開発が行われている。非常に高い導電性、熱伝導性・耐熱性を持ち、樹脂やゴム、インクや塗料など、通常は熱や電気を伝導しない素材への応用が見込まれている。

# 3. ナノ構造材料の応用分野

ナノ構造材料は、さまざまな分野の製品に利用され、今後もさらなる研究が期待されています。

## ナノポーラス材料とは

現在、ナノテクノロジーによってナノ微粒子やナノシート、ナノチューブなどのさまざまなナノ構造材料が作られています。その中で、ナノポーラス材料といわれる材料があります。「ポーラス」とは「多孔質」という意味で、直径100ナノメートル以下の微細な細孔が配列した構造をもった材料の総称です。

ここでは、「高規則性ポーラスアルミナ」という基礎材料について紹介します。

ポーラスアルミナは、アルマイトと同じものです。アルミニウムを陽極酸化すると多孔質アルミナ（ポーラスアルミナ）が形成されます。これはアルマイト処理と呼ばれていて、古くからアルミニウムの耐食性を高めるために用いられている方法です。ただし通常のアルマイト処理でできるポーラスアルミナは、細孔の形や配列が不規則なため、材料としての利用は限られていました。

そこで開発されたのが、非常に精度の高い細孔配列をもつ「高規則性ポーラスアルミナ」です。

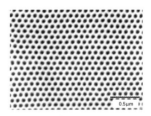

高規則性ポーラスアルミナ

▶代表的なナノ構造材料

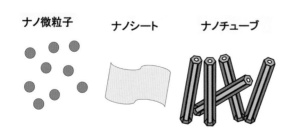

## さまざまな分野への応用が可能

高規則性ポーラスアルミナは、そのユニークな特性をいかして、さまざまな分野への応用が検討されています。

大きさが均一な微細孔の特性は、微粒子をろ過する精密分離フィルターとして利用できます。また、分散相液体を多孔質膜の細孔を通して押し出して分散させ、乳剤を得る「膜乳化」にも使えます。

この他、燃料電池や高密度磁気記録媒体への利用も可能です。

さらに、規則性の細孔を鋳型のように使用して、規則性のある突起がある「ナノ規則表面」を得る（下図）こともできます。

たとえば、ナノ規則表面は、光を反射しない反射防止表面や水をはじく撥水表面などの性質を持たせることができます。これらの新しいナノ構造材料は、さまざまな分野で幅広く利用されることが期待できます。

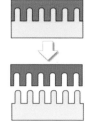

高規則性ポーラスアルミナの細孔に樹脂を流し込むことで、規則的な突起がある「ナノ規則表面」が形成できる。

▶高規則性ポーラスアルミナの機能的応用

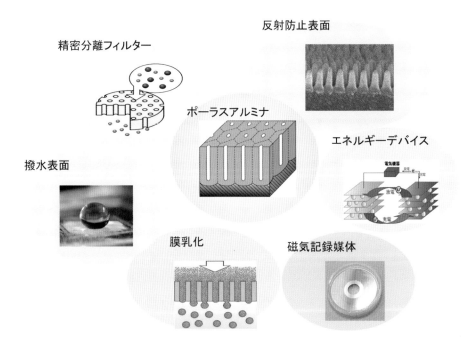

精密分離フィルター

反射防止表面

ポーラスアルミナ

エネルギーデバイス

撥水表面

膜乳化

磁気記録媒体

# 4. 益田秀樹先生の研究内容

第32回向井賞を受賞された、益田秀樹先生の研究の一部を紹介します。

# 電気化学プロセスでつくる
# 規則ナノ構造
## 〜酸化ポーラスアルミナの規則構造と機能的な応用〜

### ▎電気分解による
### ポーラスアルミナの作製

　最初に陽極酸化ポーラスアルミナの作製方法について説明します。

　試料であるアルミニウムを電解液中で陽極（＋極）にして、電解液を電気分解することで、陽極の表面に酸化物が形成されます。中性の電解液で電気分解すると、陽極表面に酸化アルミニウム（アル

ミナ）が生成して、一定の厚さのアルミナが形成されると反応が止まります。ところが電解液に酸を使うと、酸の作用で形成されたアルミナが溶解されて、酸化物の形成と溶解が同時に進むことによって規則的な多孔構造（ポーラス構造）が形成されます（下図）。

　この方法は、もともとアルミニウムの表面に防食性などを付与するための技術として使われてきたものです。

▶ポーラスアルミナの形成

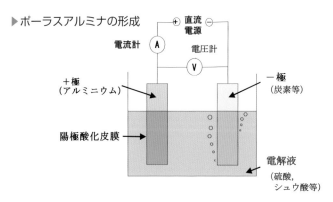

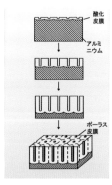

# 規則ハニカム構造は
# どのようにできるか

　左下の図は、ポーラスアルミナの規則的なハニカム構造がどのようにしてできるかを示したものです。中心に細孔をもったシリンダー状の単位をセルと呼びます。反応はセルの底にあるバリヤー層で起きています。

　右下の図は、反応の進行の様子を示したものです。バリヤー層ではアルミニウムの酸化反応と酸による溶解反応が同時に起きています。

　電気分解の電圧を一定にすると、濃い色で示した酸化膜の厚さは常に一定になります。また、酸化膜がせり上がってできたセルの直径も常に一定になります。

　ここで、孔の成長は下に向かって進んでいるのですが、視点を酸化膜に向けると、隣り合わせに接した筒状の酸化膜が上に成長してせり上がっているように見えます。ハニカム構造の形成メカニズムは、液体中の対流によりセル構造が形成される現象であるベナール対流セルを例にして考えると理解しやすくなります（下図）。

　液体を加熱すると底にあった液体は上昇するのですが、表面で冷やされて下降します。液体の上昇と下降を繰り返す運動は、2組セットの「対流セル」という形で起こります。液体と固体の違いはありますが、単一のユニットがある空間を占めることで規則的な構造を形成する点において、共通した原理にもとづく現象だと考えることができます。

## ▶液体がつくるベナール対流セル

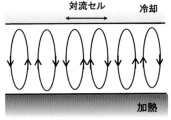

2つの対流が1セット

## ▶ポーラスアルミナのハニカム構造のでき方

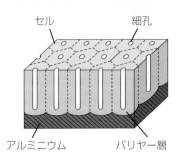

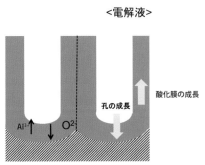

## ポーラスアルミナの
## セル形成の特徴

　ポーラスアルミナのセルは、形成時に欠損点ができます。下の写真では花のような形をした部分です。セルに欠損点ができると、周囲のセルが移動するのではなく、変形することで欠損点を修復する性質をもっています。

　電解液の種類や濃度、電圧などの条件によって規則性の度合いが大きく変わります。下の3枚の写真は規則化が起こる条件を整えて撮影したものですが、時間の経過とともに規則性を回復して、最後にはかなり規則性のある配列になったことがわかります。ここで重要なのは、規則化が起こる条件を設定しないと、こ

のような規則化が起こらないということです。

　次に、セル構造の周期は電圧と比例していて、電圧を変えることで一定の大きさのセル構造を得られます（右ページ上図）。そして、孔の大きさはセルの大きさのほぼ3分の1になります。すなわちこの材料は、電圧を変えることで必要とする大きさの孔の材料を得られるという他の材料にはない特徴があります。

　また、右ページ下の図は、電気分解の途中で電圧を変えた場合の孔の形です。左側が電圧を2分の1にした場合、右の図は電圧を3倍にした場合です。

　このように、反応の途中で電圧を変えることによって、セルの細孔構造を変えることも可能です。

▶細孔配列の自己組織化的な規則化

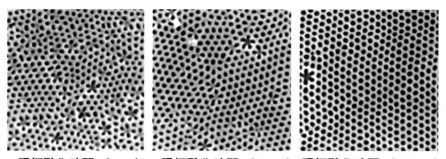

陽極酸化時間　（9min）　　陽極酸化時間　（80min）　陽極酸化時間　（750min）

▶電圧と細孔周期の関係

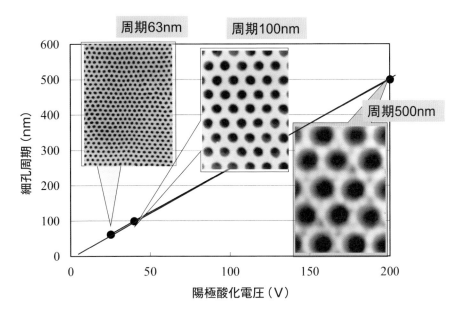

▶電圧変化による細孔構造の変化

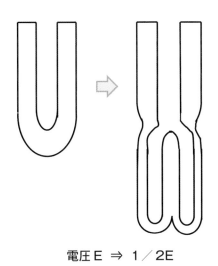

電圧 E ⇒ 1／2E
（電気分解の途中で電圧を1／2にした場合）

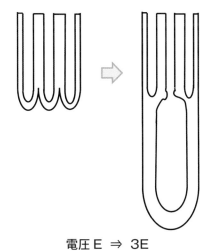

電圧 E ⇒ 3E
（電気分解の途中で電圧を3倍にした場合）

## 理想的な配列の 細孔構造を作る方法

　ポーラスアルミナを材料として使用する場合、欠損部分があると支障をきたす場合があるので、人工的に規則性をもたせる方法を考えました。それが下の図です。

　陽極酸化を行う前に、モールドという突起をもった判子で、アルミニウムの表面に規則的な凹みをつくります。これを行ってから陽極酸化をすると、凹みが反応の開始点となった欠損のない配列のポーラスアルミナが得られます。

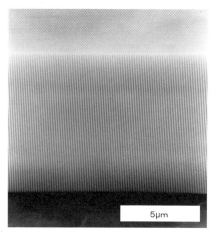

欠損のない理想的なポーラスアルミナ

▶理想配列ポーラスアルミナの形成

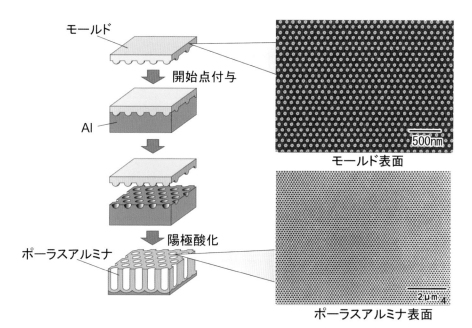

## ポーラスアルミナは「フォトニック結晶」

　理想的な配列のポーラスアルミナは、興味深い性質をもつことがわかりました。下の図は、ポーラスアルミナの断面に横から光を当てた実験です。

　ポーラスアルミナ自体は無色透明ですが、光を当てるとある光（紫で示した矢印）だけを透過して、ある光（黄緑で示した矢印）だけを反射するという性質をもっています。

　光の屈折率が周期的に変化する構造によって、一定の光だけを透過したり反射したりする人工結晶を「フォトニック結晶」と呼んでいます。フォトニック結晶は光をコントロールすることが可能なため、レーザーなどの光学分野の新しい材料として期待されているものです。

▶規則性ポーラスアルミナの断面光学顕微鏡観察像

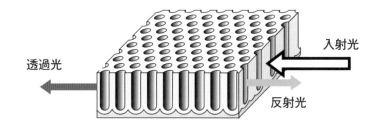

透過像

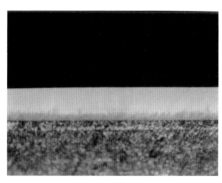

反射像

## いろいろな形のセルを<br>人工的に作る方法

　自然にできるポーラスアルミナのセルは六角形をしています。これはボロノイという人が提唱した「ボロノイ分割」によるものです。

　ボロノイ分割とは、2つの勢力範囲（セルとセル）の境界は、中心点同士の垂直二等分線で決まるという考えです（下図）。ですから、ポーラスアルミナのセルは三角格子のボロノイ分割により六角形になります。

　ところが、54ページで説明したモールドという判子で出発点を変えてやることで、セルの形を変えたポーラスアルミナを作ることができます。下の写真は実際に人工的にセルの形を変えたポーラスアルミナです。

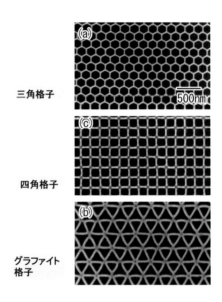

三角格子

500nm

四角格子

グラファイト格子

▶ボロノイ分割による形状制御

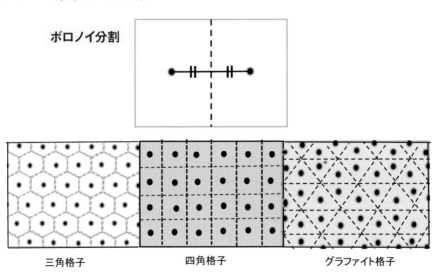

ボロノイ分割

三角格子　　　　　　　四角格子　　　　　　グラファイト格子

モールドの形を変えることで、下の写真のようなチェッカーボードパターンを作ることも可能です。

　以上のように、その用途目的に合わせてナノスケールの細孔の大きさ・形を変えることができる高規則性ポーラスアルミナは、ナノ材料として大きな可能性を持っているのです。

　一例としては、下の図に示すように微細な粒子をろ過できるフィルターとしての応用が可能です。

チェッカーボードパターン

ポーラスアルミナフィルター
（上部は反射しています。）

▶高規則性ポーラスアルミナのろ過フィルター応用

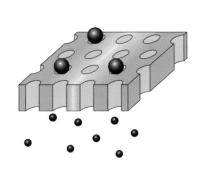

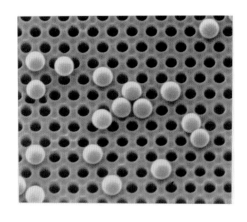

## ポーラスアルミナで
## 「モスアイ構造」を作る

　高規則性ポーラスアルミナを鋳型とし
て、規則的な突起物を持った構造物を作
ることも可能です。

　蛾の眼は、光を反射しないことが知ら
れています。蛾は夜、眼が光らないこと
によって外敵に捕捉されることを防いで
いるといわれています。蛾の眼（モスア
イ）の構造を電子顕微鏡で見ると、コー
ン状の突起が規則的に並んでいることが
わかります。

　下の図はモスアイ構造が光を吸収する
仕組みです。コーン状の突起は連続的に
段差をなくすことで、光の反射をおさえ
ています。

　これまで作られてきた無反射フィルム
は、ある波長だけを透過していて、可視
光全体を透過させることができませんで
したが、このモスアイ構造をもったフィ
ルムを作ることができれば、これまでの
問題を解決できることになります。

　そこで、ポーラスアルミナの孔をテー
パー形状（逆さコーンの形状）にする方
法を考案しました。

▶蛾が眼にもつナノ突起構造
　（モスアイ構造）

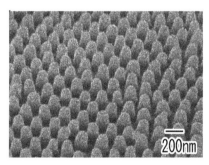

200nm

▶平面（左）とモスアイ構造（右）の光の反射

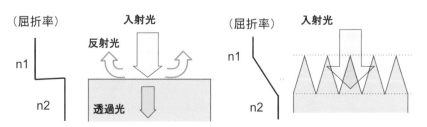

（屈折率）　　　入射光
反射光　　　　　　　透過光
n1
n2

（屈折率）　　　入射光
n1
n2

まず、陽極酸化を行ってシリンダー状の孔を作ってから、一度、ストップしてその孔を大きくする口径拡大処理します。その後、陽極酸化を行うと最初と同じ口径の孔が最初の孔の下にできます。これを繰り返すことで、孔の大きさをなだらかに小さくすることができ、テーパー形状の孔を作ることができます（下図）。

このテーパー形状のポーラスアルミナを鋳型として、ポリマーの樹脂を流し込むとモスアイ構造をもった透明のシートを作ることができます（下図）。実際に下の写真で見ると、無処理のシートに比べてモスアイ構造のシートは光を反射しないことが確認できます。

以上のように、高規則性ポーラスアルミナの鋳型としての応用分野も幅広く期待されているところです。

▶テーパー形状の細孔形成プロセス

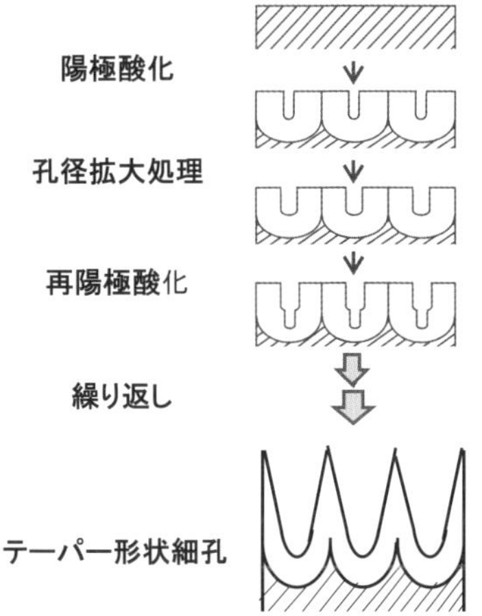

陽極酸化

孔径拡大処理

再陽極酸化

繰り返し

テーパー形状細孔

▶ポリマーモスアイ構造形成

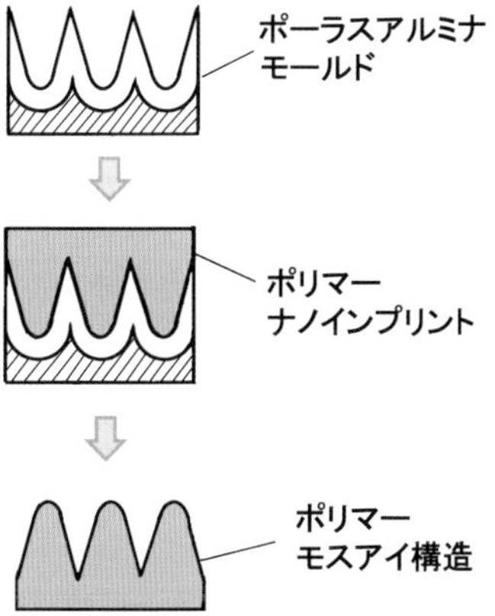

ポーラスアルミナ
モールド

ポリマー
ナノインプリント

ポリマー
モスアイ構造

↑モスアイ構造のポリマーシート
反射なし

↑無処理のポリマーシート
反射あり

# 5. 研究室訪問

　益田秀樹先生の研究を引き継ぎ、高規則性ポーラスアルミナの研究を進めていらっしゃる柳下崇先生の研究室を訪ねました。

## 東京都立大学　都市環境学部
## 環境応用化学科　柳下研究室

　柳下教授は，東京都立大学工学部工業化学科の学生として益田先生の研究室に配属され、大学院修士課程、博士課程をへたのち、研究員、助教、准教授として、高規則性ポーラスアルミナの研究を続けてきました。

　益田先生が退官されるとその研究を引き継ぎ、さらに研究の幅を広げるとともに、学生たちに新しい研究テーマを与えて指導しています。

柳下 崇教授

東京都立大学八王子キャンパス

## Q 高規則性ポーラスアルミナの 研究の展開は？

A アルミニウム以外の、銅やニッケルなどの金属素材で規則的なポーラス構造ができないかを研究しています。ほかの金属素材の場合は、細孔は開くのですがあまり規則的にならないという性質があり、それをどう制御していくかという点が課題です。

酸化アルミニウムは素材そのものに特性がないのですが、たとえば酸化チタンですと、光触媒作用があったり、太陽電池の電極になったりと、素材の特性をもったポーラス構造材料ができるのではないかということで、世界的に研究が進んでいます。

また、最近の流れとしてエネルギーを作ったり蓄めたりするようなデバイスが作れないかという研究も進んでいます。

## Q 学生に対して心がけている ことはありますか？

A 現在10名の学生がいますが、一人ひとり違うテーマに取り組んでもらっています。

うちの研究は、時間をかけてじっくりやるというよりも、わりと短期間で結果を出すものなんです。そこで、益田先生のときから続けてやっていることですが、学生たちには、半期に1回は学会発表をして、1年に1回は論文を発表しましょうと指導しています。学生のときにはそれほど成績が良くなかった子でも、研究室に入ってぐんと成績が伸びる子もいるんです。

学生の研究発表をやっていると、いろいろな企業から問い合わせや共同研究の依頼などもあります。

# 自由に研究をやらせてもらっています

回答者：修士課程2年 女子学生

**Q** 大学進学の際に、理系の学部を選んだ理由は？

**A** 高校では物理や生物が得意で、興味のある分野が理系でしたので、理系の大学に進学しようと考えました。正直、文系も考えたりもしたんですが、理系の方が将来の道が開けるかなと思ったんです。化学を選んだ理由は、物理と生物の両方に関われる学問だと考えたからです。

**Q** 子どものころから理科が好きでしたか？

**A** 小さい頃、両親にいろいろな場所の博物館や美術館に連れて行ってもらっていました。そのころから理系に興味がわいたような気がします。

**Q** 研究室に入ってみて、どう思いましたか？

**A** 研究室に入ったのは4年生からですが、最初にイメージしていたより自由にやらせてもらえると感じました。

研究テーマについて、1から指導されるわけではなく、自分で考えて、条件を一つ一つ変えたりして実験していきました。私はフィルターを作っているのですが、酸化チタンの膜で光触媒特性を持たせた特殊なフィルターの研究をしています。

**Q** 今後の進路はどう考えていますか？

**A** 光学関連の会社に就職が決まりました。光の透過性など、今やっている研究に近い部分があります。

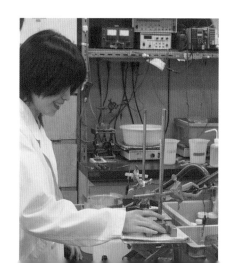

# 研究が楽しくなると、勉強も楽しくなる

回答者：修士課程2年 男子学生

**Q** 大学進学の際に、理系の学部を選んだ理由は？

- - - - - - - - - - - - - - - - - - - - - - - - - - - -

**A** 大学進学に際して、特にやりたいことがなかったので、担任の先生に相談したところ、「化学は幅広いからやってみるうちに興味がわいてくるよ」と勧められたんです。もともと社会科が好きではなかったので、化学もいいかなと思いました。

**Q** 研究室に入ってみて、感じたことは？

- - - - - - - - - - - - - - - - - - - - - - - - - - - -

**A** 3年生までの勉強と違って、研究室では新しいことに挑戦できるので楽しいと感じました。高校生の時は勉強が好きではなかったのですが、研究室に入ってみて、研究が楽しくなると、勉強が楽しいと思うようになりました。

数学や英語などの知識が必要になってみると、高校生の時にもう少し勉強しておけばよかったなあと感じています。

**Q** 今後の進路はどう考えていますか？

- - - - - - - - - - - - - - - - - - - - - - - - - - - -

**A** 研究が楽しいので、研究職が確約されている就職先を探したところ、化学メーカーの研究職に内定が決まりました。会社に入っても基礎研究を続けていけるという条件でしたので、とてもよかったです。

**Q** 高校生に伝えたいことは？

- - - - - - - - - - - - - - - - - - - - - - - - - - - -

**A** 僕のようにまだやりたいことが決まっていない人も多いと思います。そういう人には、本で暗記する勉強と違って、自分で新しいことに挑戦できる理系の研究を勧めたいです。

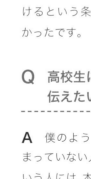

# 発見のチャンスは、
# 準備のできた者だけに微笑む。

## ルイ・パスツール

（1822〜1895年・フランス）

狂犬病のワクチンを開発するなど、
細菌学の基礎を築き、多くの人命を
救いました。

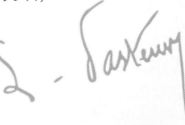

# 科学技術の振興と発展に貢献

第1回「科学教育の普及・啓発助成団体表彰」
（優秀活動賞）受賞の様子
「特定非営利活動法人 おもしろ科学たんけん工房」

第1回「科学教育の普及・啓発助成団体表彰」
（活動奨励賞）受賞の様子
「蔵前理科教室ふしぎ不思議（くらりか）」

　公益財団法人東京応化科学技術振興財団は、「研究費の助成事業」、「国際交流助成事業」、「研究交流促進助成事業」、「科学教育の普及・啓発助成事業」の4つの助成事業と、「向井賞」の表彰事業を通して、科学技術の振興と発展に貢献しています。

　「科学教育の普及・啓発助成事業」に関して、従来の助成に加えて、令和5年度より特に優れた活動を継続して行われている団体を表彰する『科学教育の普及・啓発助成団体表彰』を新たに設けました。このページでは、第1回優秀活動賞『特定非営利活動法人 おもしろ科学たんけん工房』と第1回活動奨励賞『蔵前理科教室ふしぎ不思議（くらりか）』の活動を紹介します。

# 第1回「科学教育の普及・啓発助成 団体表彰」

**優秀活動賞受賞**

# 特定非営利活動法人 おもしろ科学たんけん工房

# 子どもたちと20年

特定非営利活動法人
おもしろ科学たんけん工房
前代表理事

## 安田光一

　このたび、東京応化科学技術振興財団より、第1回科学教育の普及・啓発助成団体表彰の「優秀活動賞」を受けました。会員一同、感謝と喜びとともに、今後の活動への大きな励みとなっております。

　2002年にスタートした「おもしろ科学たんけん工房」は、2022年春に20周年を迎えました。

　おもしろ科学たんけん工房が目指すところは変わりませんが、活動を展開する上での内外の環境・条件はいま大きく変わりつつあります。

　20周年を迎えるにあたって、会員全員にアンケートを実施したところ、未来に向かっての新たなビジョンづくりの必要性を訴える声が届いております。

　20年間続けてきた事業モデルについても過去の延長線に乗るのではなく、原点に立ち返り、ゼロから考え直す必要があります。

　そこで、「刷新プロジェクト」を立ち上げて議論を重ね、将来への手探りを続けております。

　次の25周年に向かって会員一同力を合わせて、新たな展望を切り開くためにワンステップ前進したいと念じております。

# おもしろ科学たんけん工房とは

おもしろ科学たんけん工房は、神奈川県の藤沢・横浜などで、子どもたちが科学の楽しさを体験できる活動を行っています。主な取り組みは「おもしろ科学実験」、「手作り工作」、「自然観察」などの体験学習の提供です。科学の普及や啓発に関する活動の支援や、科学の体験学習に関わる学校支援なども行っています。

また、科学の体験学習に関わるボランティア・ネットワークの構築とその運営、科学の体験学習に関わるボランティアの発掘・養成を行っています。

おもしろ科学体験塾「つかめる水であそぼう」（74ページ）の様子。

▶特定非営利活動法人 おもしろ科学たんけん工房

2002年4月発足　正会員数：209名、準会員数：55名（2023年3月現在）
活動地域：横浜、藤沢、川崎、横須賀など
神奈川県横浜市磯子区中原4-1-30
●問い合わせ　https://tankenkobo.com/wp/toiawase/

# ① おもしろ科学体験塾

　「遊びながら学ぶ環境の中で、ドキドキしたり不思議さを発見したり、自分から積極的に探求し自分で考える習慣を身につける」そんなことができるような場を作り出したいと考え、科学する楽しさと手作りで何かを完成させる喜びを体で感じてほしいと、年間150回を超える体験塾を開催しています。

　藤沢市・横浜市内の40を超える会場で、土曜日に体験塾を開催しており、体験塾で行うテーマは、約100テーマを用意しています（2023年現在）。主に小学4年生から中学2年生の児童・生徒を対象としており、募集チラシは小学校で配布をお願いしています。過去20年間に2000回以上の体験塾を開催し、

延べ4万人以上の児童・生徒が参加しました。

　原則として子ども4名を1班とし、各班1名のアシスタントが丁寧にサポートします。

# ② 出前塾

　コミュニティハウスでの親子教室、地区センターでの夏休み科学教室、青少年のための科学祭典への出席など、科学教室への支援・協力を行っています。

## ③ 学校支援

　総合学習、理科クラブなどのクラブ活動、土曜授業、PTA主催の「ふれあい事業」などのお手伝いや支援活動を行っています。

## ④ 特別教室

　特定の学校の支援でも、出前塾でもない活動です。

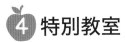

## ⑤ イベント出展

　原則として他団体（学校を含む）等が主催するイベント（流れ参加形式）に、たんけん工房も出店したり出展したりしています。例外的に自主イベントも行っています。

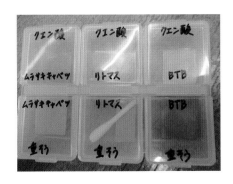

## ⑥ 科学体験活動推進スタッフ養成研修

　ボランティアとして活動に参加してくれる仲間を募集する手段の一つとして、藤沢で1回、横浜で2回、スタッフ養成研修を毎年開催しています。

　養成講座では、おもしろ科学体験塾などの活動の目的と内容や安全への配慮等を集合研修で学びます。

　また併行して現場実習としてアシスタント役を体験したり、児童生徒と同じ立場で科学体験塾を受講したりします。

# おもしろ科学たんけん工房の歩み

## ●体験塾の開催数、参加者数が大きく増加

　2002年度の体験塾開催数はわずか20回で、参加者数も477人でしたが、年々開催回数を増やし、創立15周年を迎えた2017年度には年159回の開催で、年間2603人もの児童・生徒が参加しました。また、体験塾のテーマも2002年の12テーマから年々数を増やし、2021年度には累計132テーマとなっています。

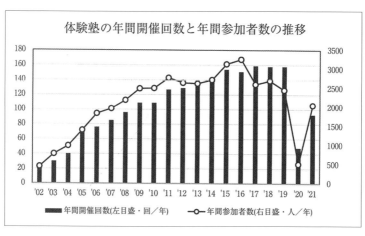

体験塾の年間開催回数と年間参加者数の推移

■ 年間開催回数(左目盛・回／年)　　―○― 年間参加者数(右目盛・人／年)

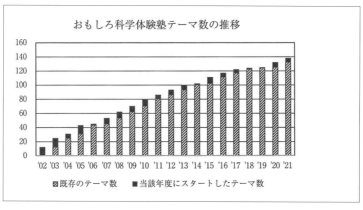

おもしろ科学体験塾テーマ数の推移

☑ 既存のテーマ数　　■ 当該年度にスタートしたテーマ数

## ●これまで実施した主なイベント

| | |
|---|---|
| 能見台地区センター<br>こども祭 くるくるリング | 能見台地区センター主催のこどもまつりに参加、子どもの入場者数は230。 |
| 湊フェスタ 2018 | 神奈川区主催のイベント。低学年の親子づれが中心、女児が圧倒的に多かった。 |
| こらぼネット・かながわ<br>0602（開港記念日） | 神奈川地区センター会場に参加し、「ビー玉コロコロ」と「ヤクルト ブーブー」を行った。 |
| みんなの「わっ！」 | 恒例の、みんなの「わっ！」は、「羽ばたくかもめの○○さん」で参加した。工房スタッフは8名。 |
| 都筑ふれあいの丘<br>フェスタ2018 | かんたん工作、ストロートンボ、くるくるリング、コマ、風車を実施した。 |
| 「みなみ・夏・まつり」<br>チャレンジコーナー | 「みなみ・夏・まつり」チャレンジコーナーを担当。参加者は小学生22、幼児10など。 |
| 子ども植物園<br>夏休みお助け隊 | 藍のたたき染めと、羊膜標本作り。ほぼ全員が保護者同伴。スタッフは8名が参加した。 |
| 青少年のための科学の<br>祭典神奈川大会 | 体験展示：ジェットコースター。かんたん工作：くるくるリング。 |
| うらふね納涼祭 | 恒例の「うらふね納涼祭」に、かんたん工作「風車」を出展。参加者は工作を楽しんでくれた。 |
| 子どもサイエンスフェス<br>ティバル横須賀大会 | 横須賀で初めて開催。ジェットコースターの体験展示と、くるくるリング。 |
| 富岡八幡公園ログハウス<br>カモメまつり | 募集人数100としてログハウスと打ち合わせ、準備をした。 |
| 港南台中央公園<br>竹林まつり | 約10団体が参加。バブロケット：500、ストロートンボ：100。 子どもたちは歓声をあげて楽しんだ。 |
| みどりーむまつり | 総来場者数:700、来場者：800、ケロケロかえる、くるくるリングなど。 |
| 東芝未来科学館<br>春休みイベント | 牛乳パックの胴部を縦方向に3等分した短冊3枚でキューブを作り、マジックサイコロを作る。 |

## ●これまで実施した体験塾の主なテーマ

| | |
|---|---|
| ふしぎな動きをする スライム磁石を作ろう | 砂鉄と磁石を使って絵を描き、花を咲かせる。ふしぎな動きをするスライム磁石を作る。 |
| すもうロボットを作ろう | 前進後退するリモコンロボットを作り、自分のアイデアでもっと強く改造し、相撲ゲームを楽しむ。 |
| にじ色の涙を 作ってみよう | コンブやワカメのヌルヌル成分の水溶液に色をつけて、ある薬品の液にたらすと虹色の玉が。 |
| 気体の力の おもしろ実験と工作 | 身近にあるもので、気体の重さ、圧力、膨張、収縮などの性質を体験。ストローロケットを作る。 |
| 手のひらで おさかな クルリン | 魚形のセロハンを手のひらにのせるとふしぎな動き。なぜ？ 特殊なフィルムで湿度計を作る。 |
| ふしぎな噴水 ── ヘロンの噴水を作ろう | ペットボトルでヘロンの噴水装置を作り、どうして噴水ができるのかを考える。 |
| 磁石とコイルの ふしぎを実験 | 磁石とコイルが出合うと起こる現象を確かめ、その応用工作としてジャンプアニマルを作る。 |
| コマのふしぎ発見 | 「まほうのコマ」を組み立て、ディスク、軸を変化させて工夫し、よく回るコマに仕上げる。 |
| 音を作ろう | 音を作る実験の後、ピアノ線 8 本を木ねじで木の台にとめて、1 オクターブの指ピアノを作る。 |
| 膨らむお菓子の科学 | お菓子を膨らませる力の"元"は何かな？ その"元"の性質を調べ、膨らませたお菓子を作る。 |
| レモンや食塩水で 電池を作ろう | レモン、食塩水、備長炭などで電池を作る実験。 |
| 紙の科学 牛乳パックで 紙すきにちょうせん | 紙はどのようにして作るのだろう？牛乳パックから紙すきのタネを作り、ハガキを作る。 |
| 水と色のファンタジー | 酸、アルカリによって水溶液の色を楽しむファンタジー実験。 |
| DNAって なんだろう？ | 実験：身近なものからDNAをとり出してみる。<br>工作：DNAビーズストラップを作る。 |

| | |
|---|---|
| えんぴつ充電池で電子メロディーを鳴らそう | ①ジュース、銅板、亜鉛板で電池を作る実験。<br>②重曹水と鉛筆の芯で充電池を作る実験。 |
| ふしぎな絵 | 身近な材料で絵を描き、ふしぎな絵を体験する。加熱すると消える絵、現れる絵がある。 |
| 錯覚・ふしぎな世界 | 同じ大きさなのに、違って見えるのはなぜ？実験で確かめ、目と脳が関わっていることを学ぶ。 |
| 紙コップでヘッドホンを作ろう | 円盤型の磁石とコイルを紙コップに貼り付けて作る。ラジオ等のイヤホンジャックから聞ける。 |
| マグネットスピンモーターを作る | 電気と磁石の作用のふしぎを観察し、磁石が回転するモーターを作る。 |
| 太陽熱で回る風車を作ろう | 太陽と地球の関係を勉強。太陽熱で起こる上昇気流で回る風車を作る。 |
| 万華鏡を作ってみよう | 万華鏡の原理・鏡を使ったおもしろ実験の後、2種類の使い分けができる万華鏡を作る。 |
| ソーラーカーを作ってみよう | ソーラーパネルからの電気を蓄電池に溜めてから走る、蓄電型ソーラーカーを作る。 |
| 風上に向かって走るヨット | ヨットは横風や向かい風を受けても、前に走ることができる。どうしてか？を調べてヨットを作る。 |
| 七色の炎を楽しもう | いろいろな金属で炎に色をつける実験。<br>これを利用して七色にもえるキャンドルを作る。 |
| 見よう さわろう音のせかい | 太鼓と風船で音にさわろう、クント管で音を見よう、糸でんわで通信しよう、を体験した。 |
| 色探し／水中エレベーター | ①水性ペンの色探しの実験 ②水中エレベーター 工作と実験 表面張力、毛細管現象など。 |
| 手回し発電機を作ろう | 円筒にコイルを巻き、コイルの中で磁石を回して発電する発電機を作る。その原理を学んだ。 |
| 作ろう！ふしぎなテクテクザウルス | 重心移動を利用して、自分でバランスをとりながら坂道を歩く「テクテクザウルス」を作る。 |
| 紙ブーメランを作って飛ばそう | ブーメランが手もとに戻る仕組みを調べる。いろいろな形のブーメランを作り飛び具合を比較。 |

# 体験塾の実施テーマ紹介

テーマ 「つかめる水であそぼう」

## 体験塾の主な内容

▶ プラスチックごみ問題って?

1. プラスチックごみの問題についてクイズや
   質問を取り入れて考える
2. わたしたちにできることは何か

▶ 「つかめる水」って?

3. つかめる水がPETボトル容器の代わりと
   して考えられたことと、その商品の紹介
4. つかめる水の材料としくみについての説明

▶ 「つかめる水」を作ろう

5. つかめる水の作成(色づけ、人工イクラ、
   海洋プラごみ入りにも挑戦)
6. 持ち帰り作業と片付け、このあとの注意点
   について、アンケート

# テーマ 「光と色のファンタジー」
## 光とは？、色とは？、色はどうして見えるのか？

### ▶太陽光（白色光）の性質

太陽光（白色光）の性質の説明と白色光に含まれる色の光を虹で説明。

### ▶実験（約20分）

電灯を太陽に、ペットボトルを雨粒に見立てて、太陽光に虹の7色が含まれていることを知る実験。

雨粒から出て目に見える光の色が雨粒の高さで違う（上から赤、橙、黄、緑、水色、青、紫）順に見えることを確かめる。

### ▶実験結果の確認

虹の色は光の波の細かさの違いであること、目は光の波の細かさを見て色を感じていることの説明。

目は色を赤、青、緑の3色で感じ、3色を組み合わせて見えている色を脳が決めていることの説明。（光の色の3原色を説明）

### ▶工作（約40分）

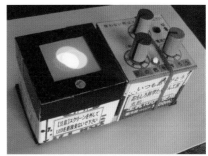

3色のLEDを組み込んだ小箱を組み立て、小箱のスクリーンに円形の3色を重ねて投影し、その明るさの組み合わせで3色以外のいろいろな色が見えることを確認する。

# テーマ 「紙コップでヘッドフォンを作ろう」

## 「音は振動で発生する」ことを実験と工作で体験する

### 体験塾で行った実験と工作

13:30-13:40　塾開講挨拶

13:40-13:50　**1.音はどんなもの**

　　　　　　(1)口で発音、ハーモニカと似ている

　　　　　　(2)ハーモニカで音をあてる

　　　　　　(3)糸電話作成

　　　　　　(4)ヘッドフォンを分解して仕組み観察

13:50-14:18　**2.磁石とコイルで音を作る＜実験＞**

　　　　　　(1)コイルに電気を流すと電磁石になる

　　　　　　(2)磁石にコイルを近づけ、コイルに電気を流す

　　　　　　(3)コイルに流れる電気のプラスとマイナスを切り替える

14:18-14:30　**3.紙コップヘッドフォンを作る＜工作＞**

　　　　　　本結びの練習

　　　　　　工作－1　　コイルの作成

14:30-14:35　休憩

14:35-15:10　工作－2　　紙コップの加工

　　　　　　工作－3　　組み立て

15:10-15:20　感想発表

15:20-15:30　**4.アンケート記入**

15:30-15:45　後片付け、反省会

## テーマ 酸とアルカリで作る
# 「水と色のファンタジー」

## 体験塾の主な内容

### ▶ムラサキキャベツ液の作り方

鍋などに水道水とムラサキキャベツの粗みじん切りを入れ、火にかけてムラサキキャベツを煮出せば、作ることができることを説明。

### 実験1 ムラサキキャベツ液は何色になるかな？

10個入り卵パックの各卵を入れる部分に、ムラサキキャベツ液を入れ、クエン酸（粉）、塩（粉）、重曹（粉）、洗剤2種、卵白、レモン、こんにゃくと汁、焼きそばと煮汁、炭酸水の10種類を入れてムラサキキャベツ液の変化を観察。

### 実験2 酸性とアルカリ性って、どう違うのかな？

クエン酸の水溶液と重曹の水溶液を使い、3種類の指示薬　ムラサキキャベツ液、リトマス紙、BTB溶液を使って、酸性とアルカリ性の色の変化の違いを調べた。比較として、リトマス紙そのものと、ムラサキキャベツ液とBTB溶液をろ紙に染み込ませたものは、事前に資料に添付。

### 実験1と実験2のまとめ

ムラサキキャベツ液、リトマス紙、BTB溶液も酸性、中性、アルカリ性を調べる指示薬であること、それぞれの指示薬の色の変化を確認。

### 実験3 何の水溶液が入っているか分析してみよう！

クエン酸の水溶液、食塩水、重曹の水溶液を、指示薬・ムラサキキャベツ液を使って、どの無色透明の水溶液が、それぞれどれの水溶液であるかを分析。

### 実験4 水と色のファンタジーを観察しよう！

透明カップにムラサキキャベツ液を入れて、二本の鉛筆の電極をセットし、電池とつないで、動かさずにムラサキキャベツ液の変化を観察し記録。

### 実験5 電気ペンで描いてみよう！

皿にアルミ箔を置き、その上にろ紙を置いてムラサキキャベツ液を染み込ませ、電池に電気ペンとアルミ箔をつないでお絵かき。電気ペンをプラスやマイナスにつなぎ変え、赤色と緑色の2色で自由に絵を描いた。

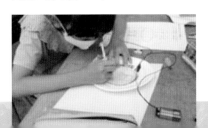

##  体験塾に参加した児童の声

すごくやさしく教えてくれたり、
つかめる水をさわれたので
また来たいです。

音を作るということは、せいみつ
な作業とかをしてできるのかと
思っていたけれど、かんたんにで
きるのにおどろいた。

いろいろな形の「つか
める水」が作れたので
たのしかったし、おも
しろかったです。また
いろいろなじっけんが
したいです。

海や川がどんどんきたなくなる
ことをしって、これからプラス
チックをすてたりたくさん使わ
ないようにしたいです。

工作の説明のとき、分からなくて
困っていたら、分かりやすい説明
で対応してくださった。

３色の光を混ぜる
と白くなるのが
楽しかった。

わたしは体験塾が開始された当初から数回参加しました。当時小学校5〜6年生でした。もともと、こわれたビデオデッキなどを見つけ、分解してしくみに驚いていたようなところがあったので、体験塾への参加は興味津々でした。

特に興味を持ったのは、「マイコンを使った電子サイコロを作る」でした。電子部品をはんだ付けして回路がサイコロとして動作した時はとても感動しました。

体験塾の素晴らしかったところは、先生方が工作を通して、マイコンの役割など、科学の本質的な部分に興味を持つような指導をされていたことです。この体験でマイコンや素子に興味を持ち、大学は工学部電気電子工学科に進み、現在は電気機器メーカーで社会インフラ設備の電気制御システムの開発試験にかかわる仕事をしています。

体験塾が、私の生き方の大きなきっかけになったと改めて感じております。これからも体験塾がますます発展し、科学好きの子どもがたくさん育っていくことを祈っています。

## ご挨拶

特定非営利活動法人
おもしろ科学たんけん工房
代表理事

# 柴田憲男

子どもたちの理科離れを何とかしたい、理科好きの子どもを育てたい、そんな思いで有志が集まってこの活動を始めました。「おもしろ科学たんけん工房」は2002年に10名ほどでスタートしましたが、現在は250名ほどに成長しました。この間、多くの皆様のご支援ご協力をいただき有難うございました。この講座に参加していた児童が、その後理系の大学に進学したという報告を時々頂いて、我々はそれを励みに更に精進を重ねたいとの思いを強くしています。「理科を教えるのではなく、理科好きにする」これを合言葉に今後もさらに努力していきたいと思っています。どうぞよろしくお願い申し上げます。

**活動奨励賞受賞**

# 蔵前理科教室ふしぎ不思議（くらりか）

## 子どもたちと不思議を共有

蔵前理科教室ふしぎ不思議（くらりか）
前代表

**剱持克夫**

東京応化科学技術振興財団より、科学教育の普及・啓発助成部門の助成を2008年度の第3回より継続して頂いていることに加え、この度第1回科学教育の普及・啓発助成団体表彰の活動奨励賞を頂きました。会員一同、感謝申し上げると共に責任の重さを感じております。

資源に恵まれない日本が、継続発展していくためには理科好きの児童を育成し、科学技術創造立国を邁進することが必須です。そのために児童が物作りの楽しさ、面白さ、創意工夫・完成の喜びを味わい、また原理・法則を理解すると共に応用出来ることなど体験し、理科好きになって欲しいと、2005年に活動を開始しました。

開始から2022年度末までに実施致しました活動累計は5,732教室（イベントを含む）、参加生徒数157,170名となりました。開始以来の参加者の動向ですが、学校の正規授業としての教室については変わっておりません。しかし、大半を占める学校以外の主催者が実施されます教室については、開始当初から7〜8年前までは小学校3年生〜5年生が中心でしたが、現在は小学校1年生〜4年生にと低学年化が進んでいます。この変化に対応するためテーマ内容の見直し、工作の容易化を進めることが必須の課題となっております。

これらの課題の解決に今回の受賞を梃子として進めさせていただく所存です。

# 「くらりか」とは

「くらりか」は、国立大学法人東京工業大学の卒業生団体である一般社団法人蔵前工業会の公益事業の一環として、児童に理科に対する興味を呼び覚ますために活動するボランティア・グループです。主に小学生を対象とし、科学原理をテーマとして、身近にある材料を使った工作・実験と説明による理科教室を、ご要望の児童館、科学館、小学校等に出向き実施しております。2023年現在、200名強の会員が全国各地で活動しています。

理科教室「レモン電池」（89ページ）の様子。

▶くらりか（蔵前理科教室ふしぎ不思議）

2005年活動開始　一般社団法人蔵前工業会傘下　会員数：200名強
活動地域：首都圏、関西圏、東海圏、広島県など

●問い合わせ　https://kurarika.net/

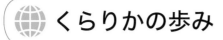

# くらりかの歩み

| 年 | 出来事 |
|---|---|
| 2005（5月9日） | 蔵前工業会、蔵前技術士会の有志メンバー11人で理科教室にむけた検討会始まる。 |
| 2005（7月6日） | 最初の準備会・教室に向けたリハーサル。 |
| 2005（8月24日） | 最初の教室・田園調布2丁目児童館にて浮沈子実験。主に小学3年生16人、講師・助手は6人。同時に教室を「蔵前理科教室ふしぎ不思議」、略して「くらりか」と命名。 |
| 2006 | テーマ：浮沈子・電気ペンにつづき、備長炭電池 が加わる。 |
| 2007（5月） | 最初の「ポンポン蒸気船」の教室・横浜市大鳥中コミュニティハウス。 |
| 2007 | 埼玉県・千葉県で初の教室開催。 |
| 2008 | 教室数が年間100を超え129教室に。 |
| 2009 | 蔵前工業会 科学技術部会直属へ。 |
| 2010（12月24日） | 関西支部活動開始。大阪で初の教室。 |
| 2011（7月21日） | 静岡支部活動開始。静岡で初の教室。 |
| 2012（8月） | 「ふしぎ不思議の理科教室 楽しくできる実験と工作」出版。 |
| 2012（8月26日） | 島根県で初の教室。 |
| 2013（2月9日） | 秋田県で初の教室。 |

| 年 | 出来事 |
|---|---|
| 2013（5月） | 蔵前工業会理事長特別表彰。 |
| 2013 | 長野県、和歌山県、岩手県、山梨県、福島県で初の教室。 |
| 2014（4月） | 文部科学大臣表彰科学技術賞受賞。 |
| 2014（11月） | 広島支部活動開始。広島県で初の教室。 |
| 2014 | 鹿児島県、宮崎県、沖縄県で初の教室。 |
| 2016 | 愛知県で初の教室。 |
| 2017 | 佐賀県で初の教室。 |
| 2017 | 累計参加生徒数10万人を超える。 |
| 2017（11月） | 蔵前特別賞受賞。 |
| 2018（3月） | 化学コミュニケーション2017賞受賞（日本化学連合）。 |
| 2018 | 栃木県、茨城県、富山県、福井県で初の教室。 |
| 2019 | 岐阜県、山口県、奈良県で初の教室。 |
| 2020 | コロナ禍で教室数が激減。初のオンライン教室を実施。 |
| 2021 | 大田区教育委員会より、教育活動の振興感謝状。 |
| 2022 | 累計参加生徒数15万人を超える。<br>西宮市より「ふしぎ理科教室」長期実施に関し感謝状。 |

#  くらりか理科教室とは

## 理科教室の特徴

○児童5～6人に1人の指導者がつきます。指導者は東京工業大学卒の
　元技術者・研究者です。
○児童一人ひとりが教材を作り実験を体験できます。
○教材を持ち帰り、ご家族や友達の前で再演できます。
○実験の基礎になる仕組みや原理を分かりやすく説明します。

## 教室開催のめやす

| | |
|---|---|
| 参加人数 | 一教室　20人～30人程度。複数教室に関してもご相談ください。 |
| 開催時間 | 1～1.5時間 程度。 |
| 開催会場 | ご用意いただきます。 国内各地へ出前いたします。 |
| 経費 | 参加者の教材費 （200～700円/人）実費程度。費用はテーマによります。<br>講師・助手の交通費のご負担をお願いしています。詳細はお問い合わせください。<br>講師・助手の人数は参加人数によります。およそ5～6人に一人の助手がつきます。 |
| テーマ | 「教室テーマ紹介」よりご希望があればお知らせください。またはお薦めテーマに関してもご相談ください。 |
| 開催日時 | ご希望をお知らせください。 |

## テーマ 「ヘロンの噴水」

理科教室の主な内容

| | |
|---|---|
| 概要 | ペットボトル、牛乳パック、プラスチック皿、ゴム管、ストローなどを組み合わせて噴水の装置を作る。<br>上のお皿に水を少し入れると、装置の中央の噴水ノズルから、勢いよく水が吹き上がる。 |
| 学ぶこと | 大気の圧力、水の圧力。 |
| ここが楽しい！ | 急に水が吹き上がってビックリ。 |
| 工作のポイント | 複雑な組み合わせを、間違いなく、水漏れがないように組み立てる。 |
| 工作の難易度 | やや高い。 |

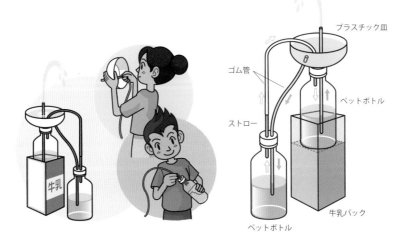

# テーマ 「コイルモーター」

## 理科教室の主な内容

| | |
|---|---|
| 概要 | 細いエナメル線をぐるぐる巻いてコイルを作り、コイルの両側に伸びたエナメル線を覆っている被膜の片側をサンドペーパーではがし、丁度良い長さで切る。<br>電池入れに電池を入れ、電池のプラスとマイナス側の外側にコイルを置く支柱を付ける。<br>電池の両側から中央に、丸い磁石をのせる。<br>コイルを置く支柱にコイルを乗せるとクルクル回る。 |
| 学ぶこと | 電流と磁石の不思議な関係でコイルが回る仕組みを学ぶ。 |
| ここが楽しい！ | 自分で作ったモーターが勢いよく回る。 |
| 工作のポイント | エナメル線を治具にきっちり巻いてコイルを作る。<br>コイル両側のエナメル線の被膜剥がしを完全に行う。 |
| 工作の難易度 | 中 |

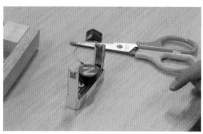

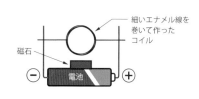

細いエナメル線を
巻いて作った
コイル

磁石

電池

## テーマ 「偏光板万華鏡」

### 理科教室の主な内容

| | |
|---|---|
| 概要 | 2つの紙コップの底に穴をあけ、偏光板を取り付ける。透明フィルムにセロハンテープをランダムに貼り、それを2枚の偏光板の間に置くと、不思議な模様が見える。片方のコップを回すと模様が変わる。そのままでも良いが、3枚のミラーで万華鏡を作り、楽しんでもらう。 |
| 学ぶこと | 光の波としての性質、偏光板による偏光作用、光の屈折・反射・分光。 |
| ここが楽しい！ | 透明なセロハンテープがいろいろな色に変化すること。その色が重ねられた偏光フィルムとの角度によって変化すること。 |
| 工作のポイント | 透明フィルムにランダムにセロハンテープを貼り付ける。高学年の場合は2つの紙コップの底に穴をあける。 |
| 工作の難易度 | 低〜高 |

# テーマ 「ポンポン蒸気船」

## 理科教室の主な内容

| | |
|---|---|
| 概要 | 牛乳パックを切って船体を作り、アルミパイプで作ったエンジンを取り付ける。水を熱して水蒸気にすると、水蒸気の力でポンポン蒸気船が水面をすいすい走る。 |
| 学ぶこと | ポンポン蒸気船が走る仕組み、水蒸気の力、日常生活で体験する水蒸気に関する現象、水蒸気の利用などを学ぶ。 |
| ここが楽しい！ | 自分の船が見事にさざ波を立て走る。 |
| 工作のポイント | 線に沿ってハサミで切る。船腹を垂直に立て、水漏れ防止のアルミテープを貼る。 |
| 工作の難易度 | 中 |

牛乳パックで作った船体

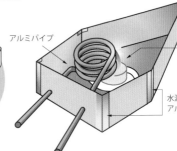

アルミパイプ

ろうそく

水漏れ防止の
アルミテープ

「レモン電池」

## 理科教室の主な内容

| | |
|---|---|
| 概要 | ボルタ電池の仕組みを学び、銅線と亜鉛メッキ線を電極とし、レモンに差し込み、レモン電池を作る。直列に接続し、起電力の変化を測定し、LED の点灯と電卓の動作を確認する。レモンを他の果物・野菜に替えて起電力を調べる。 |
| 学ぶこと | 電池の仕組み、電解液、電流と電子の流れ、金属のイオン化、電池の接続テスターの使い方を学ぶ。 |
| ここが楽しい！ | 野菜・果物で電池ができること、人も電池になり接続して確認する。 |
| 工作のポイント | アルミテープをハサミで切る。電極棒をリード線につなぐ、電極棒を刺す。 |
| 工作の難易度 | 低 |

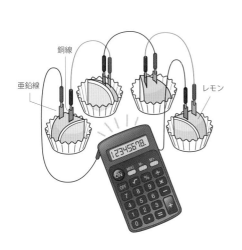

銅線

亜鉛線

レモン

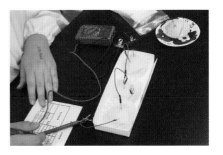

# 低学年向けの教室例

## テーマ 「笛と音」

理科教室の主な内容

| | |
|---|---|
| 概要 | ホイッスルやストロンボーンを作り、それらを鳴らして音の発生の仕組みを学ぶ。さらに音を可視化したクントの装置の演示から音を理解する。 |
| 学ぶこと | 音の発生する仕組み、伝播、聞こえ方など。 |
| ここが楽しい！ | 自分で作ったホイッスルやストロンボーンを鳴らせる。 |
| 工作のポイント | ハサミの使用、リードの取り付け。 |
| 工作の難易度 | 中 |

## テーマ 「ギシギシプロペラ」

### 理科教室の主な内容

| | |
|---|---|
| 概要 | 2種類のギシギシプロペラを作成する。1番目は、割り箸にヤスリで10個の溝を作成し、割り箸の先端にプロペラを付ける。2番目は、割り箸に針金を巻き付ける。豆腐ケースの波板状の凹凸を張り付ける等の振動が発生する物を取り付け、割り箸の先端にプロペラを付ける。擦り棒でこれらの溝を擦るとプロペラが回る。 |
| 学ぶこと | ・ギシギシプロペラがなぜ回るか。<br>・役に立つ人工振動（楽器・遊戯施設・時計・機械など）<br>・危険な自然振動（地震・津波・液状化・強風など） |
| ここが楽しい！ | ・右回し、左回しをコントロールする。<br>・2本のギシギシプロペラセットを同時に回す。<br>・「皿回し」、多人数での糸電話体験。 |
| 工作のポイント | 割り箸へのヤスリがけ、針金の巻き付け、プロペラのヒートンねじ込み。 |
| 工作の難易度 | 中 |

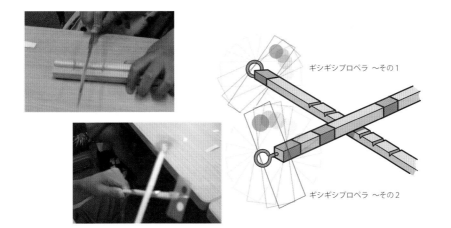

ギシギシプロペラ 〜その1

ギシギシプロペラ 〜その2

## 🌐 理科教室に参加した児童の声

● ヘロンの噴水の感想（小学校での正規教室 ４年生）

ふんすいを作らせてくれてありがとうございます。空気と水のこといろいろ知って、空気と水はこんな力があったのかを知りました。

楽しかったです。ぼくは家に帰ってお母さんやお父さんたちに見せてしくみを説明しました。ぼくは理科が好きです。くらりかさんたちが来てくれて、理科がもーと好きになりました。ぜひまた小学校に来てください。

「ヘロンのふんすい」の作り方について教えてくださりありがとうございました。ぼくは、はじめての実験で空気のあつ力というものを知りました。そして空気のあつ力はすごいということをはじめて知りました。

ヘロンのふんすいを作ってみて楽しかったです。とても細かく教えてくれて、ありがとうございました。私は、あまり理科が好きではありませんでした。でも、この学習で理科がもっと好きになりました。

ふんすいを作らせてくれてありがとうございます。空気と水のこといろいろ知って、空気と水はこんな力があったのかを知りました。

# 理科教室に参加した保護者の声

●コイルモーターの感想（某市役所主催教室）

大変分かり易すく説明して頂きました。子供は工作が楽しかったようですが、途中難しかったようです。また参加したいです。ありがとうございました。

少し難しかったようだが、最後に勢い良く回ったのがうれしそうだった。達成感があった。説明をきいて、同じように作ることも、大切だなと思うので、またお願いします。

親子でそれぞれ作るのも良いと思いました。ありがとうございました。

磁界の話などが難しかったようだが、コイルモーターを上手に作れて嬉しそうだったので良かった。実験に親しむ中で、理解してくれていたらと思います。

とても分かり易すく、丁寧に教えて頂き、大変勉強になりました。ありがとうございました。

# 世界・日本の科学賞

顕著な功績をあげた科学者に授与される科学賞の一部を紹介します。

## ノーベル賞

### (第1回…1901年)

　アルフレッド・ノーベルの遺言によりに創立されました。物理学、化学、生理学・医学、文学、平和、経済学の「5分野＋1分野」で顕著な功績を残した人物に贈られます。（経済学賞はノーベルの遺言にはなく、スウェーデン国立銀行の設立300周年祝賀の一環として1968年に設立されました。）

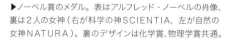

　2022年のノーベル化学賞は、アメリカのスクリプス研究所のバリー・シャープレス教授、デンマークのコペンハーゲン大学のモルテン・メルダル教授、アメリカのスタンフォード大学のキャロリン・ベルトッツィ教授の3氏に贈られました。（写真はキャロリン・ベルトッツィ教授）

　▶ノーベル賞のメダル。表はアルフレッド・ノーベルの肖像、裏は2人の女神（右が科学の神SCIENTIA、左が自然の女神NATURA）。裏のデザインは化学賞、物理学賞共通。

# ノーベル賞を受賞した日本人（物理学賞、化学賞、生理学・医学賞）

## 物理学賞

物理学の分野において重要な発見を行った人物に贈られます。分野は大きく分けて、天文学や天体物理学、原子物理学、素粒子物理学の3分野ですが、気象学など地球科学からの受賞もあります。

| | |
|---|---|
| 1949年 | **湯川秀樹**<br>原子核の陽子と中性子を結びつける粒子、中間子の実在を予言。 |
| 1965年 | **朝永振一郎**<br>水素原子のスペクトルの観測データと予測値のずれの解決に「繰り込み理論」を完成。 |
| 1973年 | **江崎玲於奈**<br>半導体におけるトンネル現象の実験的発見。 |
| 2002年 | **小柴昌俊**<br>カミオカンデで素粒子ニュートリノを世界で初めて観測。 |
| 2008年 | **南部陽一郎**<br>「自発的対称性の破れ」の発見。 |
| 2008年 | **小林誠**<br>「CP対称性の破れ」を理論的に説明した「小林・益川理論」を提唱。 |
| 2008年 | **益川敏英**<br>「CP対称性の破れ」を理論的に説明した「小林・益川理論」を提唱。 |
| 2014年 | **中村修二**<br>青色発光ダイオードの開発に成功。 |
| 2014年 | **赤崎勇**<br>青色発光ダイオードの開発に成功。 |
| 2014年 | **天野浩**<br>青色発光ダイオードの開発に成功。 |
| 2015年 | **梶田隆章**<br>ニュートリノに質量があることを示すニュートリノ振動の発見。 |
| 2021年 | **真鍋淑郎**<br>地球の気候をコンピュータで再現する方法を開発。 |

## 化学賞

化学の分野において重要な発見あるいは改良を成し遂げた人物に贈られます。

| | |
|---|---|
| 1981年 | **福井謙一**<br>化学反応と分子の電子状態に関する「フロンティア電子理論」を樹立。 |
| 2000年 | **白川英樹**<br>電気を通すプラスチック、ポリアセチレンの発見。 |
| 2001年 | **野依良治**<br>ルテニウム錯体触媒による不斉合成反応の研究。 |
| 2002年 | **田中耕一**<br>生体高分子の同定および構造解析のための手法の開発。 |
| 2008年 | **下村脩**<br>「緑色蛍光タンパク質（GFP）」の発見・開発。 |
| 2010年 | **根岸英一**<br>「有機合成におけるパラジウム触媒を用いたクロスカップリング」に成功。 |
| 2010年 | **鈴木章**<br>「有機合成におけるパラジウム触媒を用いたクロスカップリング」に成功。 |
| 2019年 | **吉野彰**<br>リチウムイオン電池の開発に成功。 |

## 生理学・医学賞

生理学および医学の分野で最も重要な発見を行った人物に贈られます。

| | |
|---|---|
| 1987年 | **利根川進**<br>「抗体の多様性生成の遺伝的原理」の発見。 |
| 2012年 | **山中伸弥**<br>iPS細胞の開発に成功。 |
| 2015年 | **大村智**<br>熱帯地域の寄生虫病の特効薬開発に成功。 |
| 2016年 | **大隅良典**<br>不要物の分解と同時に再利用も行う細胞の働き「オートファジー（自食作用）」の存在を解明。 |
| 2018年 | **本庶佑**<br>「免疫を抑える働きを阻害することで癌を治療する方法」の発見。 |

# JAPAN PRIZE（日本国際賞）

## （第1回…1985年）

　Japan Prize（日本国際賞）とは、「世界の科学技術の発展に資するため、国際的に権威のある賞を設けたい」との政府の構想に民間からの寄付を基に設立され、実現したものです。

　この賞は、全世界の科学技術者を対象とし、独創的で飛躍的な成果を挙げ、科学技術の進歩に大きく寄与し、もって人類の平和と繁栄に著しく貢献したと認められる人に与えられるものです。

　毎年、科学技術の動向を勘案して決められた2つの分野で受賞者が選定されます。受賞者には、賞状、賞牌及び賞金が贈られます。授賞式には天皇皇后両陛下が毎回ご臨席、三権の長始め関係大臣と各界の代表のご出席を得、挙行されます。

　この顕彰事業を行っているのは公益財団法人 国際科学技術財団です。

◀2023年授賞式の様子
中沢正隆博士
（東北大学卓越教授）、
萩本和男氏
（情報通信研究機構主席研究員）、
ゲロ・ミーゼンベック博士
（オックスフォード大学教授）、
カール・ダイセロス博士
（スタンフォード大学教授）
が受賞しました。

　毎年数名の内外の方が受賞されておりますが、特に、2004年には、当財団の第2代理事長の本多健一博士、現理事長の藤嶋昭博士が、環境改善に貢献する化学技術分野で受賞されています。なお、現在まで、日本人で受賞されている方は、1998年の江崎玲於奈博士、2018年の吉野彰博士ら23名で、両陛下ご臨席のもとで授賞式が挙行されました。

本多 健一 博士　　藤嶋 昭 博士

## 恩賜賞、日本学士院賞、日本学士院エジンバラ公賞
### (第1回…1911年)

明治43年に創設され、学術上特に優れた論文、著書その他の研究業績に対して日本学士院が受賞を行っています。「日本学士院エジンバラ公賞」は、広く自然保護及び種の保全の基礎となる優れた学術的成果を挙げた者に対して、1988年から授与されています。

## 朝日賞
### (第1回…1929年)

朝日新聞創刊50周年記念事業として創設されました。一時、3部門に分かれていましたが1975年度に「朝日賞」が総合賞とされました。学術、芸術などの分野で傑出した業績をあげ、日本の文化、社会の発展、向上に多大の貢献をした個人または団体に贈られます。

## アルバート・ラスカー医学研究賞
### (第1回…1946年)

ラスカー財団が運営しています。医学の研究において優れた功績があった人物に与えられます。アメリカ医学会最高の賞とされ、ノーベル生理学・医学賞に次ぐ医学賞とされています。

## ウルフ賞
### (第1回…1978年)

イスラエルに設立されたウルフ財団によって授与されます。受賞部門は農業、化学、数学、医学、物理学、芸術の6つです（芸術部門は建築・音楽・絵画・彫刻について隔年で選ばれます）。物理学部門と化学部門は、ノーベル賞に次いで権威のある賞とされています。

## 本田賞
### (第1回…1980年)

公益財団法人本田財団が授与します。エコテクノロジーの観点から、次世代の牽引役を果たしうる新たな知見をもたらした個人またはグループの業績を讃えます。新たな可能性を見出し、応用し、共用していくまでを視野に、広範な学術分野を対象としています。

## 京都賞
### (第1回…1985年)

公益財団法人稲盛財団が創設した日本の国際賞です。「先端技術部門」「基礎科学部門」「思想・芸術部門」の3部門4授賞対象分野の専門領域において顕著な功績を残した人物を讃え、授与します。

## クラリベイト・アナリティクス引用栄誉賞
### (旧トムソン・ロイター引用栄誉賞 第1回…1989年)

アメリカとイギリスに本社を置くクラリベイト社が、研究者の論文の被引用件数や重要度などにより、ノーベル賞の有力候補者として、ノーベル賞発表に先立ち毎年9月に発表しています。

制作・協力

■特別監修
公益財団法人東京応化科学技術振興財団理事長　　　　　　　藤嶋　昭

■協力
関東学院大学 材料・表面工学研究所 顧問／特別栄誉教授　本間英夫
東京都立大学 名誉教授　　　　　　　　　　　　　　　　　益田秀樹
東京都立大学 都市環境科学研究科 環境応用化学域 教授　　柳下　崇

特定非営利活動法人おもしろ科学たんけん工房
蔵前理科教室ふしぎ不思議（くらりか）

■写真・イラスト
本間英夫／益田秀樹／日本電子株式会社／マカベアキオ／アフロ／
PPS通信社 山田智基／PIXTA／大塚洋一郎／Japan Prize

■デザイン
エルジェ　村上ゆみ子

■校正
タクトシステム

■取材
オフィス・イディオム／北野書店

■編集委員会
編集委員長　岩科季治（東京応化科学技術振興財団）
編集委員　　菱沼光代（東京応化科学技術振興財団、科学童話研究会代表）
　　　　　　中村敦志（東京応化工業株式会社）
　　　　　　髙木秀夫（東京応化科学技術振興財団）
　　　　　　松本義弘（有限会社オフィス・イディオム）
　　　　　　松下　清（株式会社北野書店）

技 術 が 世 界 を 変 え る
# 目指せ!科学者**1**

2023年11月18日　　第1刷発行
2023年12月 8 日　　第2刷発行

発行・発売　株式会社北野書店
　　　　　　〒212-0058
　　　　　　川崎市幸区鹿島田1-18-7 KITANOビル3F
電話　044-511-5491
　　　　　http://www.kitanobook.co.jp
　　　　　E-mail　info@kitanobook.co.jp

印刷・製本　株式会社太平印刷社
ISBN978－4－904733－13－4
Printed in Japan

『目指せ！科学者』
発刊に際して

2023.8

株式会社北野書店
代表取締役　**北野嘉信**

　株式会社北野書店は、五感で感じられる本の価値を伝え、よい本と出合える機会を少しでもつくりたいという思いで76年間、川崎市で書店活動を行ってまいりました。この度、公益財団法人東京応化科学技術振興財団のご協力を得て、書籍『目指せ！科学者』を発刊することができました。心から感謝申し上げます。

　東京応化科学技術振興財団は、1987年の創立以来現在まで、日本の科学技術の発展に寄与すべく活動されております。「全地球的な科学技術の振興と発展に貢献していく」という指針と、藤嶋昭理事長の、「日本の発展には科学技術が欠かせず、そのために、日本の将来を担う理科好きな子どもたちが育つことを願う」との思いに、北野書店も大変深く賛同しております。2014年度より、東京応化科学技術振興財団の推薦図書の、各地の小中学校や各公共施設への寄贈をお手伝いさせていただいておりますが、今回出版の形でご協力できることを大変うれしく思っております。

　『目指せ！科学者』は、日本の最先端の研究者の研究とともに、研究者を目指す大学院生の様子を紹介しています。「研究とは何か、科学者とはどんな仕事か」が具体的にイメージできる、類書がないユニークな構成になっています。『目指せ！科学者』との出合いがきっかけになり、科学技術立国日本を担う科学者が生まれることを願っております。